JN126182

600字で書く
文章表現法

平川 敬介 著

大阪教育図書

はじめに

入社試験や入学試験などで「(小) 論文」「論作文」が必要だ
これまでに書いてきた「作文」「感想文」が通用しない

筆者は、このような大学生や高校生を思い浮かべながら、本書を執筆しました。

試験やレポート課題の形式・テーマ・分量は多種多様です。しかし、いずれの場合であっても、出題者に「読んでいただく」文章としての基本は共通していると考えられます。

そこで本書では、形式・テーマを細分化して対策を立てるのではなく、短くともしっかりした意見文を書くための基本的な見方・考え方の養成を中心にすえました。そのため、表現・表記に関する詳細には深入りしていません。

本書の目標は、読者の皆さんが600字程度の論理的な意見文を書けるようになることです。なぜ「600字」なのか。それは、基本的な三部構成（第3章参照）の意見文が説得力を伴って成り立つ、最小限の字数であると考えるからです（実際、大学入試の小論文では、標準的な制限字数の一つとなっています）。

本書の初版が刊行されてから、15年以上経過しました。この間に起こった東日本大震災や新型コロナウイルス感染症拡大などへの対応をめぐり、私たちの社会における対立と分断は、ますます激しくなっています。そして、SNSやウェブ会議などによる発信や交流の機会が、いちじるしく増加しています。

こうした状況において、筋道立てて考えること、考えたことを理性的に発信すること（本書で強調している「『しっかり』書くこと」）の重要性は、ますます高まっていると言えるでしょう。本書をきっかけとして、「上手に」書かなければならないという呪縛から一人でも多くの読者が解き放たれ、「しっかり」書くことに対する問題意識を持ってくださることを期待します。

なお本書では、諸先生方の著作物を資料として多数掲載させていただきました。快く許諾をくださった著者・発行元に、厚く御礼申し上げます。

最後になりましたが、2008年版刊行以来、筆者を励まし拙著を大切に育ててくださっている横山哲彌社長はじめ大阪教育図書株式会社の皆様に、この場を借りまして深く感謝申し上げます。

2024（令和6）年8月

平川　敬介

目　次 / Contents

答案例原案協力　　　：清水 朗子　東川 由紀子　丸山 伊津紀
キャラクターデザイン：平川 元子

第1章

「公（おおやけ）の文章」をしっかりと書く！

「論文」「レポート」と「作文」「感想文」との間には、どのような違いがあるのでしょうか。

学問や仕事の場で用いられる文章、あるいは入学試験や入社試験で出題される「小論文」「論作文」では、どのような文章が要求されているのでしょうか。

本章では、目的の異なる文章の読み分けを通して、本書を通して身につけていこうとする力の全体像を明らかにしていきます。

第一節　「説明文」と「意見文」

ひとくちに「文章」といっても、多種多様です。本章では、文章の「目的」に注目して、大まかな分類を試みます。

まずは、文章ア〜ウを読んでみましょう。次の①〜③に当てはまるのは、それぞれどの文章でしょうか。

①　事実を伝えることを目的としている文章
②　自分が感じたことや思ったことを中心に述べている文章
③　根拠を示しながら、筋道を追って自分の意見を述べている文章

漫然と文章を眺めているだけでは、内容が頭の中に入ってきません。ぜひ筆記用具を持って、下線を引きながら読んでください。あなたの本をあなた自身がより使いやすくするためです。躊躇する必要はまったくありません（この本を図書館などで借りて読んでいる人はもちろん不可ですが）。共感できること（共感できないこと）、知っていたこと（知らなかったこと）、わかりにくいところなど、何でも構いません。自分なりの基準を何か一つ決めて、下線を引いて、「ひっかかり」を作りながら読んでいきましょう。

文章ア

2020年、米国の警察による人種差別的な暴力が、大きな社会問題となっていた。この問題について、テニスの全米オープンに出場した大坂なおみ選手は、暴力による犠牲となった人々の名前が記されたマスクを着用して抗議の意思を表明した。2024年には、フランスの国民議会選挙において、移民排斥を主張する極右勢力の躍進が予想された。その際、サッカーフランス代表のキャプテンで自身も移民をルーツとするキリアン・エンバペ選手が、極右の伸長を憂慮する発言を行った。

これらの例に見られるような著名スポーツ選手による政治的な言動は、大きな反響を呼び起こすことがある。そして、発言した選手は、意見を異にする人々から激しい誹謗中傷を受けることがある。

文章イ

国際的なスポーツイベントが行われるごとに、選手による政治的な言動が話題となる。こうした言動への否定的な反応は、少なくない。

しかし私は、著名なスポーツ選手が政治的な言動を行うことに賛成である。なぜなら、著名な選手は、その言動によって社会に好ましい変革をもたらす可能性を秘めていると考えるからだ。著名な選手は、そのファッションを真似する人が現れたり、インタビューから流行語が生まれたり、といった大きな影響力を持っている。そうした選手が社会の矛盾に苦しむ人々の声を代弁することで、為政者に改善を促したり、改善に応じない為政者を交代させる投票行動を先導したり、といった効果が期待できるのである。

文章ウ

私は、あるスポーツ選手を応援していた。彼の華麗なプレーだけでなく、日々鍛錬に努めるストイックさにも魅力を感じていたのだ。しかし、ある国の外交方針を彼が支持していていると知って、がっかりした。彼が支持する国は一方的に隣国を侵略し、和平を促す国際世論に耳を貸そうとしないからである。そんな国を支持する人間を応援してきたのかと、私は情けない気持ちになった。

だが、彼にも表現の自由がある。内容はどうあれ、「政治的な言動をやめろ」とは言えないのかもしれない。しかし、よりによって彼があのような意思表明をするとは残念だ。ともかく、スポーツ選手の政治的な言動が問題化しないよう、平和な世の中になってほしい。

本節のワンポイント 「意見文」と「説明文」

あなたはどう判断したでしょうか。これら三つの文章の題材は共通していますね。しかし、それぞれの文章の目的は明確に異なっているのです。

ここで、文章の目的を見抜くためのカギを紹介しましょう。「事実の記述」という言葉を聞いたことがあるでしょうか。木下是雄は、「事実の記述」を次のように定義しています。

> **(a) 自然に起こる事象（某日某地における落雷）や自然法則（慣性の法則）；過去に起こった、またはいま起こりつつある、人間の関与する事件の記述で、**
> **(b) しかるべきテストや調査によって真偽（それがほんとうであるかどうか）を客観的に判定できるもの**
>
> **（木下、1990、p.25）**

そして、「事実の記述」に対比されるものが「意見」であると木下は述べます。木下の定義を参考に、本書では「事実の記述」と「意見の記述」の違いを次のように理解しておくことにしましょう。

事実の記述……データや記録に基づいて裏付けられる客観的な記述
（誰もが認めざるを得ない）
意見の記述……人それぞれの主観に基づく記述
（ある者は認め、ある者は認めない）

では、次の例文１～３は、「事実の記述」「意見の記述」どちらに当てはまるのでしょうか。

【例文１】
大阪教育図書株式会社の所在地は、大阪市北区野崎町である。

【例文２】
日本政府は、少子化に歯止めをかけるための政策を最優先で進めるべきである。

【例文３】
「○○ペイ」「×× ペイ」など、QR コードやバーコードを用いた決済サービスが乱立している。

例文１は**「事実の記述」**です。大阪教育図書の所在地は、登記簿や地図で確認できますし、もちろん、直接足を運んで確認することもできます。

例文２は**「意見の記述」**です。人口維持に必要とされる合計特殊出生率2.08に対して日本の合計特殊出生率（2023年）は1.20であり、大多数の日本人が少子高齢化対策の必要性を感じていることは確かでしょう。しかし、日本社会が抱える課題は、外交・環境・財政など、さまざまな分野にわたっています。必ずしも少子化対策を最優先せよと考える人ばかりではありません。

それどころか、少子化を問題視しない立場の人もいます。社会が成熟したことの表れとして少子化の現実を淡々と受け入れるべきだという意見、少子化により人口が少なくなれば、その分広いスペースを楽しむことができるという意見もあるのです。

では、例文３はどうでしょうか。一見すると「事実の記述」のようですが、「意見の記述」とも考えられます。「乱立」という言葉には、「必要以上に立ち並んでいて、好ましくない」という「評価」の意味合いが含まれています。「必要以上」とはどこからなのか、「好ましい」か「好ましくない」か、という評価は人それぞれの主観に基づくものです。「どのコード決済手段を選べばいいか分からない」という消費者や、「レジでの対応が面倒だ」という店員の声は、もっともです。しかし、「決済手段が多いということは、それだけ選択の幅が広いということだ」と肯定的に考える人もいるのです。

授業でこのように解説すると、「ひねくれている」「事実と意見の区別がますます分からなくなった」など、さまざまな反応が返ってきます。「例文３は『意見の記述』である」とごり押しする意図は毛頭ありません。書かれた状況や文脈などによっても判断が変わってくるでしょうし、必ずしもはっきり白黒がつくものではないでしょう。ただ、このような例もあることを頭の片隅に置きながら、**今、自分が読んでいる（あるいは書いている）文は、客観的な事実を伝えようとしているのか、それとも自分自身の意見を伝えようとしているのか**、これまで以上にこだわりを持ってほしいのです。

それでは、「事実の記述」「意見の記述」というカギを手にしたところで、もう一度p.3の文章ア〜ウを振り返ってみましょう。

文章アを構成する文の一つ一つを検討すると、「意見の記述」となっている文はまったく含まれず、すべての文が「事実の記述」であることがわかります。このように、**読み手に客観的な事実を伝えることを目的としている文章**を、本書では「**説明文**」と呼ぶことにします。

次に示しているように文章イには、「事実の記述」（波線～～～）も、「意見の記述」（実線――）も含まれています。

文章イ

ⓐ国際的なスポーツイベントが行われるごとに、選手による政治的な言動が話題となる。こうした言動への否定的な反応は、少なくない。

ⓑしかし私は、著名なスポーツ選手が政治的な発言をすることに賛成である。ⓒなぜなら、著名な選手は、その言動によって社会に好ましい変革をもたらす可能性を秘めていると考えるからだ。ⓓ著名な選手は、そのファッションを真似する人が現れたり、インタビューから流行語が生まれたり、といった大きな影響力を持っている。ⓔそうした選手が社会の矛盾に苦しむ人々の声を代弁することで、為政者に改善を促したり、改善に応じない為政者を交代させる投票行動を先導したり、といった効果が期待できるのである。

この文章のメインは「事実の記述」でしょうか。それとも「意見の記述」でしょうか。それぞれの記述の分量ではなく内容に注目してください。文章イ全体としては、「著名なスポーツ選手による政治的な発言」に対する肯定論であることがわかるでしょう。第一段落では、国際的スポーツイベントにおける選手の政治的な言動への否定的反応はけっして少なくない、という客観的事実が示されています（下線部ⓐ）。これを受けて、第二段落冒頭で「私は、著名なスポーツ選手が政治的な発言をすることに賛成である」という意見が打ち出されています（下線部ⓑ）。そして、意見の根拠として「社会に好ましい変革をもたらす可能性を秘めている」こと（下線部ⓒ）、「社会の矛盾に苦しむ人々の声を代弁することで、為政者に改善を促したり、改善に応じない為政者を交代させる投票行動を先導したり、といった効果」（下線部ⓔ）をあげています。これらの内容が、過去のニュース記事や書籍などを用いて裏付けることが可能な事実の記述（下線部ⓓ）によって補強されている点にも注目しましょう。以上を踏まえると、この文章のメインは「意見の記述」であることがわかります。このように、**根拠を示しながら、筋道を追って自分の意見を述べている文章**を、本書では「**意見文**」と呼ぶことにします。

ちなみに新聞では文章アのような「説明文」が大半を占めていますが、社説やコラムは文章イのような「意見文」ですね。では、文章ウは何なのでしょうか。

柳瀬和明は、英語での自己表現を意識した日本語表現のあり方を提言するにあたって、私たちが言語生活において表現している内容のうち、最も客観的なものが「事実」であり、最も主観的なものが「心情」であることを述べています。そして、「事実」と「心情」の間に「意見」や「感想」を位置付けて、整理しています（柳瀬、2005、p.104 ～ 108）。

これにならい、「事実」「意見」「感想」「心情」の表現を例示してみます。

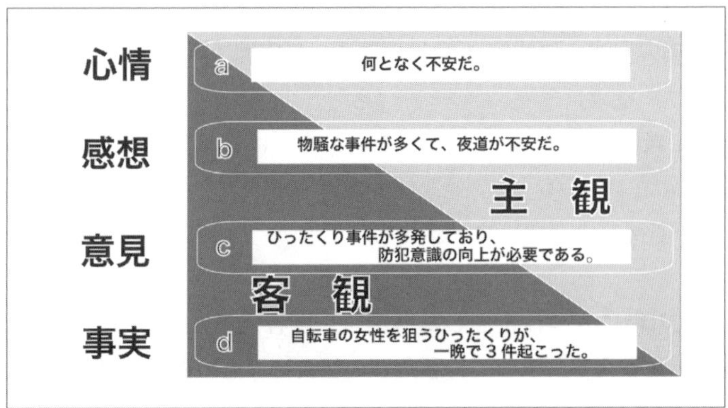

柳瀬和明（2005年）『「日本語から考える英語表現」の技術』（講談社ブルーバックスB1471）を参考に作成

ａからｄへと行くにしたがって、客観性が高まり、逆に主観性が減じていることが分かるでしょう。

文章ウは、一見すると「意見文」のようです。第一段落では応援してきたスポーツ選手の言動に対する落胆の気持ちを示していて、スポーツ選手が政治的な言動をすることへの反対論と受け取れます。ところが、第二段落では表現の自由を根拠に政治的言動を容認する考えに傾いたかと思えば、「よりによって彼が」と再び否定的な見解を示します。そして、「平和な世の中になってほしい」と願望を述べて全体を結んでいます。

文章ウは、全体的に一貫性がなく、著名なスポーツ選手の言動をめぐる問題について「こうあるべきだ」「こうするべきだ」といった明確な意見を示しているわけではありません。また、第一段落の「がっかり」「情けない」や第二段落の「残念」といった表現は、個人的な感想あるいは心情に過ぎません。第二段落の「～かもしれない」も、責任ある表現とは言えません。文章ウは、強いて分類するなら「感想文」でしょう。文章イのような「意見文」とは区別するべきです。

念のため一言。私は「感想文」を否定しているのではありません。**「感想文」で表現される素朴な疑問や他者への共感、社会の矛盾への憤りは、「意見文」の前提となる問題意識が生まれる端緒となる**のです。「意見文」を書くべき局面で「感想文」を書かないでほしい、というのが本節での私の願いです。

復習ミニワーク

問 1　次の文章を読み、「事実の記述」に波線、「意見の記述」に実線で下線を引きなさい。

問 2　この文章は、本書の定義によれば、次のうち、どれにあてはまるでしょうか。一つ選び、記号で答えなさい。

ア　説明文　　　イ　意見文　　　ウ　感想文

志望動機を問われて、「人の役に立つ仕事をしたいから」と答える人がいる。しかし、私はこうした物言いに違和感を覚える。まるで、私たちの社会に「人の役に立つ仕事」と「人の役に立たない仕事」とが存在するかのように聞こえるからだ。

「人の役に立つ仕事」と聞いて多くの人がイメージするのは、コロナ禍において改めて重要性が再認識された医療・福祉などの「エッセンシャルワーク」ではないだろうか。もし、これらの仕事に従事する人々がいなければ、私たちの日常生活を維持することは困難になるであろう。

しかし、人間の欲求には、「日常生活を維持したい」という欲求だけではなく、「達成感を味わいたい」「非日常的な体験に心ときめかせたい」など様々な欲求があるとされる。ゲーム関連産業やエンターテインメント業界など、多種多様な仕事をする人々が、これらの欲求を満たしている。その意味で、「人の役に立たない仕事」など社会には存在しないのである。

解答例／解説はこちら 

解答例／解説は右よりダウンロードできます。https://osaka-kyoiku-tosho.net/pdf/appendix08_22.pdf

第二節　公の文章

前節では、目的（何を伝えようとしているのか）による文章の違いにこだわりました。言わば「書き手本位」の視点です。今度は、読み手との関係性に注目しましょう。

「文章を書くのは苦手。面倒くさい」という人は少なくありません。しかし、そのような人も、毎日のようにメールや短文投稿サイトなどで何らかの文章を書いているのではないでしょうか。字数が少なくても、複数の文が集まって何らかの意味を成していれば、「文章」なのです（LINE では一文での発話が多数でしょう。厳密には一文であっても「文章」と呼ぶ場合がありますが、ここでは深入りしません）。ブログともなると、かなり長い文章も珍しくありません。

ただし、メールや短文投稿サイト、ブログにおける情報発信・情報交換は、必ずしも必要に迫られて書く文章ではありません。「相手がメールの返信をしない」と怒る人はいますが、本当に大事な用件なら電話をかければ済む話です。今日は短文を投稿しなかった、ブログをアップしなかったからと言って、必ずしもあなたが不利益を被るわけではありません。また、多少できの悪い文章であっても、犯罪にかかわる内容であったり、特定の個人・団体を中傷したりする内容でない限り、責任を問われることはありません。

しかし、入学試験の小論文や学校で書く論文・レポート、企業・官公庁の採用試験の論作文や業務上の企画書（稟議書）・報告書――これらは、あなたが学校で学んだり企業・官公庁で働いたりするうえで避けて通ることのできない文章（文書）です。あなたはこれらの文章を作成・提出し、読み手（先生や上司、仲間など）の評価を受けます。その評価は、あなたの立場や次にとるべき行動を左右します。提出しない場合はもちろん、内容が不十分であれば、何らかの不利益を被ることになります。学術論文や報告書にいたっては、学外・社外の人にも読まれて社会的な反響を呼ぶ場合もあります。

したがって、小論文や論文・レポート、論作文や企画書・報告書の場合、あなたが伝えたい事実あるいは意見が読み手に確実に伝わるよう、十分に内容を練り上げてからていねいに記述しなければならないのです。これらの文章は、社会的な関係において読み手を強く意識しなければならない、言わば「**公の文章**」であると言えるでしょう。

これら「公の文章」と、前節で定義した「説明文」「意見文」との対応関係を示したのが次ページの図です。

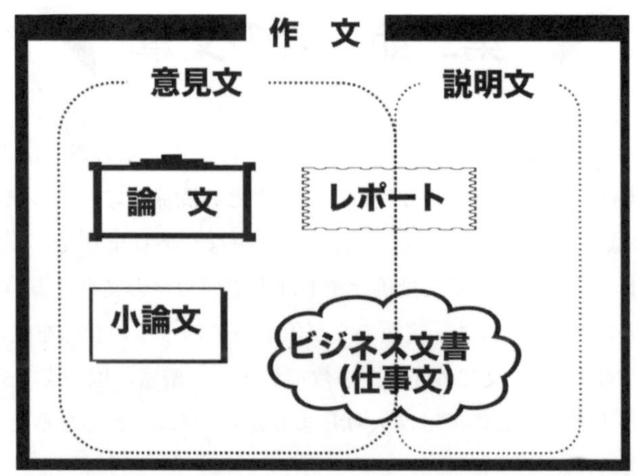

論文・レポートのように、学問の場で書かれたり読まれたりする文章を**アカデミックライティング**と呼びます。

アカデミックライティングのうち、論文とは、みずからの問題意識によって設定した課題について、自分なりの仮説を元に調べ考察し、結論を導き出すに至った過程を、文章として表現するものです。まぎれもなく「意見文」ですね。

ところが、「レポート」と称する文書については、実質的に論文と同じ場合（「意見文」）もあれば、事実の報告のみの場合（「説明文」）もあります。大学で学生に課される「レポート」の場合、「意見文」が要求されることが多いようですが、出題者がどちらを求めているのか十分に確認する必要があります。

一方、企画書（稟議書）・業務報告書のように、企業や官公庁などビジネスの場で用いられる文章（文書）を**ビジネス文書（仕事文）**と呼びます。

企画書（稟議書）は、外部に対しては新しい商品やサービス、内部的には新しい仕事のやり方などを提案するものであり、まさしく「意見文」です。提案を実現するためには、他の意見を持つ人を説得しながら、社内の多くの人々（場合によっては社外の協力者も）の支持を得なければなりません。そのためには、論文と同様に、提案そのものだけではなく、提案にいたる過程を明示する必要があるのです。

業務報告書は、任務をいかに遂行し、どのような結果にいたったかを上司に伝え、今後の指示を仰ぐためのコミュニケーションツールです。したがって、自分自身の感想なり意見なりを申し添えることはあっても、感想や意見に力を入れるあまり、ありのままの事実の報告をおろそかにして上司の判断を妨げるようなことがあってはなりません。基本的には「説明文」と言えるでしょう。

さて、アカデミックライティング（論文・レポートなど）にも仕事文（ビジネス文書）

にも共通する基本姿勢を、ここで確認しておきましょう。それは「しっかり書く」ということです。学問やビジネスの場におけるコミュニケーションでは、何よりも**「的確さ」「正確さ」**が重んじられます。状況にふさわしい形式で意見を的確に伝えたり、事実を正確に伝えたりすることによって、「しっかり勉強しているな」「しっかり業務に努めているな」という印象を読み手に与えることができるのです。言い回しが軽妙であるとか、行間に味わいがあるといった、言わば文学的な「上手さ」は、すべての学生・社会人に要求されるべき資質ではないはずです。

上手に書くより、しっかり書こう——本書を通して、アカデミックライティングや仕事文のような「公の文章」をしっかりと書く力を、じっくりと身につけていきましょう。

第2章

事実をしっかり説明しよう！

第１章では、読み手に客観的な事実を伝えることを目的としている文章を、「説明文」と呼ぶことにしました。

事実を的確に説明する力は、第３章以降で学ぶ「意見文」において説得力のある「根拠」を述べるために、欠かすことができません。

本章では、さまざまな説明文をさまざまな観点から書きなおすことを通して、状況に応じて的確に説明する力をつけていきます。

ここで、鉄道の回送列車に関するアナウンスを二種類紹介しましょう。あなたが駅のホームに立っている利用客なら、A・Bどちらのアナウンスが親切だと思いますか。

アナウンスA
この列車は、回送列車です。誤って
ご乗車にならないよう、ご注意ください。

アナウンスB
この列車は、どこへも行きません。
誤ってご乗車にならないよう、ご注
意ください。

一般的に耳にするのはAでしょう。しかし、ある駅でBと同趣旨のアナウンスを聞いた筆者は、とても感心しました。

Aに出てくる「回送列車」という言葉の意味を、子どもたち、あるいは日本語に習熟していない外国人たちは十分に理解しているのでしょうか。日本語の「カイソウ」には、「回送」の他にも「海藻」「階層」「回想」「改装」など、さまざまな漢字があてはまります。

一方、Bの方は正確とは言えません。この場合の「どこへも」は、「利用客が望むところには行かない」という意味です。本当に「どこへも」行かない列車ならば、そのままずっと、ホームに停車していなければなりませんから、不正確と言えば不正確です。しかし、「どこへも行きません」と言われれば、「回送列車」という言葉は知らない人でも「どういうことだろう」と乗車を踏みとどまるのではないでしょうか。不正確さを差し引いてもなお、あくまでも利用客の立場に立とうとするBの姿勢を評価したいのです。

アナウンスBにみられる聞き手への配慮には、説明文において事実を的確に読み手に伝えるためのポイントに通ずるところがあります。p.15からは、説明文のさまざまなポイントを解説していきましょう。

本節のワンポイント 「説明文」の4か条

① 説明する対象・説明する相手を理解する
② 構成を「可視化」する
③ 具体化や抽象化を行う
④ 比較・対照、比喩などを用いる

上記が、的確な「説明文」を書くための4か条です。「説明文」であるために、「自分の意見を交えずに客観的に書くこと」は大前提ですね。

ではさっそく、各項目を具体的に確認していきましょう（これ以降、「〇か条」といった形式を極力用いないことにします。「〇か条」を覚えること自体、大変でしょうから）。

① 説明する対象・説明する相手を理解する

「説明する対象」とは「何について説明しようとしているのか」ということです。p.14の事例では、「回送列車についての乗客への注意」でしたね。当然といえば当然のことですが、自分以外の人に説明し理解してもらうためには、自分自身がまず、説明する対象について、次に挙げるようなさまざまな角度から捉え、かつ正確に理解しなければなりません。

- **定義、仕組み**
- **歴史、経緯**
- **特徴、長所・短所、意義**
- **置かれている状況　など**

次に、説明する相手がどのような人なのか、すなわち、専門家なのか素人なのか、子どもなのか高齢者なのか、説明の対象にもとから興味があるのか、それともないのか、といった相手の属性によっても、語句の選択など、説明のあり方は大きく変わってきます。**説明する相手の年齢や社会的立場などを十分に理解する**ことが必要です。

p.14のアナウンスAは「この列車」の「定義」を述べており、Bは「この列車」の「置かれている状況」を述べていると言えます。説明する相手の属性への配慮について考えることができる材料は、日常生活の中にたくさん埋もれているのです。

② 構成を「可視化」する

次の文章は、ある人が路面電車について述べた説明文です。

> 文例アー①
>
> 路面電車とは一般の道路に敷かれたレール上を走る電車である。私は導入に向けての説明会に参加したことがある。近年、路面電車が環境保護などの観点から見直されている。日本では第二次世界大戦前から大都市を中心に大量輸送手段として普及してきたが、高度経済成長期以降は自動車の増加に伴って廃止が相次いだ。しかし、宇都宮市などでは新型路面電車導入が推進されている。ヨーロッパを中心に市街地への自動車乗り入れを規制するために路面電車を活用する事例が多く見られる。

この文章を構成する文の一つ一つに大きな問題はないようです。しかし、路面電車の定義・新しい意義・歴史的展開・筆者個人の事情など、さまざまな内容が無造作に配列されていて、文章全体としての意図がはっきりとしません。では、次の文章はどうでしょうか。

> 文例アー②
>
> 路面電車とは一般の道路に敷かれたレール上を走る電車である。日本では第二次世界大戦前から大都市を中心に大量輸送手段として普及してきたが、高度経済成長期以降は自動車の増加に伴って廃止が相次いだ。
>
> 近年、路面電車は環境保護などの観点から見直されており、ヨーロッパを中心に市街地への自動車乗り入れを規制するために路面電車を活用する事例が多く見られる。日本でも、宇都宮市などで新型路面電車導入が推進されており、私も導入に向けての説明会に参加したことがある。

一つ一つの文の内容自体は文例ア—①とほぼ同じですが、２段落構成になっています。第一段落では日本国内における路面電車の盛衰を紹介し、第二段落では環境保護などに配慮した交通手段としての路面電車の姿を紹介していることが分かるでしょう。第一段落の内部は路面電車の定義⇒歴史的展開という順序で，第二段落の内部は路面電車の新しい意義⇒復活の動き（世界→日本）という順序で述べられています。筆者個人の事情（説明会への参加）への言及も、復活の動きの一環として無理なく読めるのではないでしょうか。

文例ア—②は、路面電車の社会的意義の変化を読み手に伝えようという意図が明確であり、それが２段落構成という目に見える形に**「可視化」**されることによって、読み手に伝わりやすくなっているのです。**「可視化」**とは、ビジネスの世界でもよく聞かれる、問題解決の手法です。さまざまな問題の関係性を明確化し全体像を把握した上で、細部の問題に取り組んでいくというわけです。スピーチでも文章表現でも、まずは全体像を相手に伝えてから、細部を述べていくと伝わりやすいのです。

段落は、文章の全体像を「可視化」する手段なのです。「200 字程度の文章は段落分けしない」「400 字なら 2 段落」「600 字なら 3 段落」と機械的に考えている人を時々見かけます。大まかな目安としては間違っていませんが、どのような趣旨の文のまとまり（意味段落）を作り、どう配列していくかが大切です。

③ 具体化や抽象化を行う

読み手の知識の量や、読み手の要求（試験の場合の字数制限も含まれます）に応じて、文章の具体性・抽象性をコントロールしていく必要があります。

> 文例イ―①
> 日本の水産物輸入先のトップは中国であるが、おなじみの魚介類の中には非常に遠い国から大量に輸入されているものもある。

読み手が水産業の専門家であれば、これで十分かもしれません。しかし、「おなじみの魚介類」とは何だろうか、「非常に遠い国」とはどこだろうか、と疑問を持つ読み手も少なからず出てきそうです。そうなると、抽象的な部分を具体化する必要が出てくるのです。

戸井田克己は、読み手が「記述の中身を映像化できるような表現」という言葉で、具体的に記述することの重要性を説いています（戸井田、2005、P.11）。たとえば、教員採用試験の論作文において、「『熱意』という単語を使わずに、行動の中身でそれを書き表す」ことが読み手（採点者）の映像化を促すというのです。これにならい、文例イ―②のように具体化してみましょう。

> 文例イ―②
> 日本の水産物輸入先のトップは中国であるが、タコの輸入額の半分以上をアフリカのモーリタニアやモロッコが占めている。このように、おなじみの魚介類の中には非常に遠い国から大量に輸入されているものもある。

読み手の脳裏には、ユーモラスな（人によってはグロテスクな）姿のタコが日本から 1 万km以上離れた地で水揚げされている映像（イメージ）が浮かび上がり、より伝わりやすくなりました。

読み手が専門家であれば抽象的な表現でも十分かもしれないと解説しましたが、例外もあります。たとえば、専門家が行った授業の成果を測るために行われる試験ならば、専門家にとっては当たり前のことでも、具体的記述が求められている可能性があります。読み手（この場合は専門家）は「具体例を挙げることができる」ことをもって、あなたが得た知識・理解が揺るぎないものであるかどうかを判断するのです。

文例ウ―①

私は犬が好きだ。実家ではメスの柴犬（赤毛）を飼っていた。また、秋田犬も好きで神宮外苑で開かれた秋田犬保存会の品評会を見に行ったことがあるし、秋田県大館市の秋田犬会館にもたびたび足を運んだ。ついには、柴犬や秋田犬との血縁があるとされる珍島（チンド）犬をたずねて韓国に渡り、珍島郡にある珍島犬試験研究所で 100 匹にもおよぶ犬たちとの対面を果たしたほどである。

今度はかなり具体的な文章ですね。もっと長い文章の一部ではなく、これが全体だとするならば、学術的な文章というよりは自己紹介的な文章のようです。

この場合、同じ趣味を持つ「同好の士」でなければついていけない可能性があります。柴犬が赤毛か黒毛か、秋田犬の品評会がどこで開かれているのか、珍島犬が研究所に何匹いるのかなどといった情報は、大多数の人々にとっての関心事とは言えません。

文例ウ―②

私は犬が好きだ。実際に柴犬を飼ったり、秋田犬に関する行事に足を運んだりするだけでなく、韓国に渡って、柴犬や秋田犬の仲間とされる珍島犬との対面を果たしたほどである。

あなたが「相当の犬好き」だということさえ伝わればよいのであれば、このぐらい抽象化してもよさそうです。

ところで抽象⇒具体の例において、「具体例」を通して知識・理解が確認されると述べましたが、その逆もありえます。さまざまな具体例を抽象化できるかどうかを見極めることによって、物事の本質的な理解を問おうとする試験もあるのです。

④　比較・対照、比喩などを用いる

一つの事象を穴があくほどじっと見つめさえすれば、その特徴がわかる、とは限りません。適切な対象を設定して比較・対照することによって、特徴が浮かび上がってくることがあります。

> 文例エ
> ムササビはモモンガとよく似たリス科の哺乳類であり、樹木の間を滑空する。しかし、モモンガが日本列島に広く分布しているのに対して、ムササビは北海道では見られない。

「リス科の哺乳類」「樹木の間を滑空」という共通点を持つモモンガとの比較・対照を通して、ムササビの特徴（生息地）を浮かび上がらせています。「比較・対照」というと違いの比較（対比）に目を奪われがちですが、まずは**共通点をしっかりと押さえる**必要があります。

> 文例オ
> 和楽器の四つ竹（よつだけ）とは、スペインのカスタネットのようなものである。

こちらは比喩の例です。比較・対照ほど厳密な分析を経た記述ではありません。読者が新しい事物を受け入れるためのイメージ作りを、既存の事物のイメージによって手助けする手法であるといえるでしょう。

復習ミニワーク

2018 年 5 月 23 日、「政治分野における男女共同参画推進法（政治分野における男女共同参画の推進に関する法律）」が公布・施行されました。**資料**を参考にしながら、次の条文を、小学校 1 年生の子どもにも理解できるよう書き改めなさい。ただし、次の 3 点に注意すること。

① 文字のみで表現すること。

② 使用する漢字は**資料**に掲げるものに限ること。

③ できるだけ内容を削らないこと。条文全体の意味が変わらない程度に、順番を入れ替えたり文を分割したりすることをかまわない。

> 第二条　政治分野における男女共同参画の推進は、衆議院議員、参議院議員及び地方公共団体の議会の議員の選挙において、政党その他の政治団体の候補者の選定の自由、候補者の立候補の自由その他の政治活動の自由を確保しつつ、男女の候補者の数ができる限り均等となることを目指して行われるものとする。

【資料】（小学校第１学年に配当されている漢字）

一	右	雨	円	王	音	下	火	花	貝	学	気	九	休
玉	金	空	月	犬	見	五	口	校	左	三	山	子	四
糸	字	耳	七	車	手	十	出	女	小	上	森	人	水
正	生	青	夕	石	赤	千	川	先	早	草	足	村	大
男	竹	中	虫	町	天	田	土	二	日	入	年	白	八
百	文	木	本	名	目	立	力	林	六				

「学年別漢字配当表」による。

解答例／解説はこちら 

解答例／解説は右よりダウンロードできます。https://osaka-kyoiku-tosho.net/pdf/appendix09.pdf

第3章

意見文を書く！　その１

本章では、第１章で定義した「意見文」の基本を学びます。

まず、意見文には決して欠かせない「基本セット」について学んでいきましょう。また、基本セットを生かして明快な文章を組み立てるための構成について学んでいきましょう。

第一節　意見文の基本セット

多くの高等学校や大学で「授業評価」が行われています。いつもは学生を評価する立場である教師を学生の立場から評価して、授業改善に役立てようというわけです。授業評価の形式はさまざまです。項目ごとの５段階評価もあれば自由記述もあります。

さて、私が半年にわたって行った講義の終了に際して、次のような授業評価（自由記述）が提出されたとしましょう。

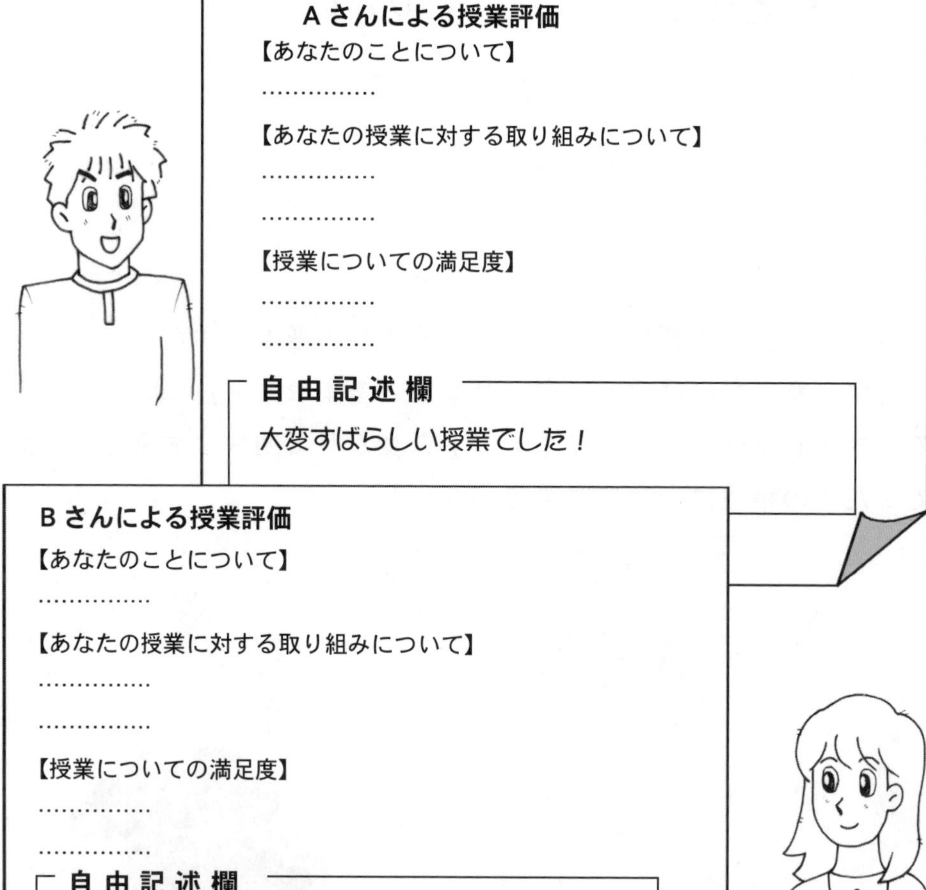

Ａさんが大絶賛する一方、Ｂさんは手厳しい評価ですね。しかし、私にとってありがたい（と受け止めなければならない）のはＡさんではなく、Ｂさんの評価なのです。

Ａさんがほめてくれることは、もちろんうれしいです。しかし、Ａさんが私の授業のどこを「すばらしい」と感じてくれたのかが分かりません。次年度以降に向け何を残し何を改めるべきかについては、あまり参考になりません。

一方、Ｂさんの評価は私の授業を受講すること自体に否定的です。「必要性を感じない」という言い分だけならば、「甘ったれるな。大事な基礎・基本だ」と言ってやりたいところです。しかし、Ｂさんは否定的評価の根拠として「自分は文章表現の基本はできている」と述べているので、そこからさまざまなヒントが得られます。

「基本ができている学生にもやりがいのある課題を準備すべきだった」

「学年全員必修を見直す余地があるのかもしれない」

「Ｂさんは大した答案を書いてなかったのに。未熟さを自覚させる工夫が足りなかった」

Ｂさんが根拠を述べていたからこそ、私はさまざまな角度から授業を見直すことができるのです。

「優れている／劣っている」「すばらしい／すばらしくない」「必要である／必要でない」といった評価は一種の「意見」であり、「意見の記述」は「ある人が認めても、ある人は認めない」という性格の記述です（p.4 参照）。一人でも多くの人に認めてもらえるよう、また、「認めない」と言う人にも少なくとも再考を促すことができるよう、**意見は根拠によって支えなければならない**のです。

本節のワンポイント　意見文の基本セットは「主張」と「根拠」

第１章で、「根拠を示しながら、筋道を追って自分の意見を述べている文章」を意見文と定義しました。論文などの意見文においては、最も強調したい意見（「主張」）が不可欠です。そして、自分の意見を読み手に理解してもらうためには、なぜそのような主張を述べることができるのか（「根拠」）を示すことが必要です。

主　張　＋　**根　拠**

これを**意見文の「基本セット」**とします。基本セットを意識しながら、次の例文を読んでください。

【例文１】

①死刑制度の存続に反対である。なぜなら、②刑罰本来の役割に反しているからである。

例文は、二つの文のみで成り立っています。しかし、①の部分で自分の主張（死刑制度存続への反対）、②の部分でその根拠（刑罰本来の役割）が述べられていて、基本セットは満たされています。いわば、**「最小単位の意見文」**といえます。

凶悪な事件が連日のように報道されている昨今、世論調査（2019 年）によれば、8 割を超える国民が死刑制度の存続を支持しています。「ゼッタイハンタイ」と声高に叫ぶだけでは、存続賛成派は見向きもしないことでしょう。しかし、「刑罰本来の役割」という本質論を根拠として持ち出すことによって、存続賛成派たちをも振り向かせることができるというわけです。

見方を変えれば、**自分が書いた意見文を「最小単位の意見文」に要約してみることによって、意見文としての妥当性を確認することもできる**のです。自分が書いた答案を参照しているにもかかわらず、「賛成・反対のどちらなのか分からなかった」「根拠がうまくまとまらなかった」という人は、元の意見文の説得力が不足している可能性が高いのです。

まとまった量の文章を書くにあたって、この最小単位をしっかりと組み立てられないということは、文章全体を通して「要するに何を言いたいのか」が不明確だということに他なりません。最小単位の土台がぐらついたまま、どれだけ多くの字数を費やしても、説得力ある文章を書くことはできません。

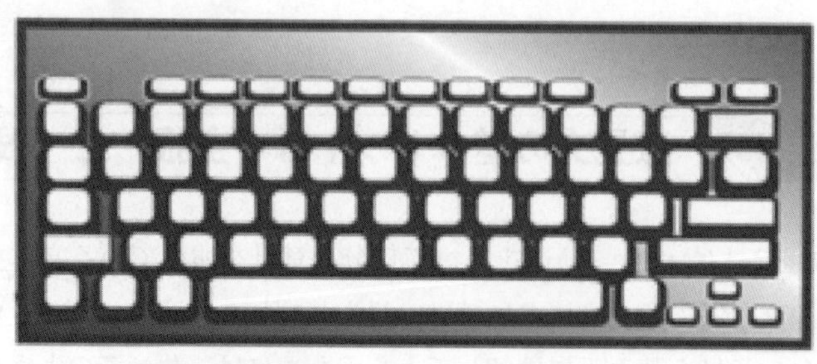

復習ミニワーク

25ページの【例文1】にならって、基本セットを満たした「最小単位の意見文」を作成しなさい（賛成・反対のどちらかを〇で囲む)。③は、テーマも自分で考えて記入しなさい。

① 日本に外国人労働力を積極的に導入することに（賛成・反対）である。
なぜなら、

② 日本の大学に秋入学を導入することに（賛成・反対）である。
なぜなら、

①・②のような社会問題にこだわらなくてもよい。身近なことや芸能・スポーツなど、幅広く考えてみよう！

③  である。

なぜなら、

③のヒントはこちら  解答例／解説はこちら 

③のヒントは右よりダウンロードできます。https://osaka-kyoiku-tosho.net/pdf/appendix10.pdf
解答例／解説は右よりダウンロードできます。https://osaka-kyoiku-tosho.net/pdf/appendix11.pdf

第二節　意見文の構成

次の文章は、「小学校低学年からの英語必修への賛否」についてのCさんの答案です。この答案は段落分けがなく、文章全体の構成が「可視化」（p.16 参照）されていません。あなたなら、この文章の構成をどのように「可視化」するでしょうか。

段落分けをすべきと考える箇所に、┌ の記号を記入してください。

Cさんの答案

日本社会の国際化に伴い、英語教育の重要性が指摘されている。日本の小学校では3学年から週1時間の外国語活動（英語）が必修であるが、さらに早めて1学年から必修にするべきとの意見がある。私は、小学校1学年からの英語必修に賛成する。なぜなら、日本語とは異なる性質を持つ言語だからこそ、できるだけ吸収力に富んだ幼少時から英語に触れておく必要があるからである。以前読んだ英語教育についての本に、興味深いことが書かれてあった。自国語にない音を聴き取る力は、10歳頃から少しずつなくなっていくという。3学年からでも遅いのである。英語は、中国語に次ぐ4億人もの人々が母語とする国際共通語である。小学校6年間の学習を土台として、日本社会の国際化を深化させていくべきである。

本節のワンポイント 意見文の基本構成は、序論→本論→結論

第２章で、説明文のポイントの一つとして「文章の構成を『可視化』する」ことを挙げました。具体的な方法は、文を目的にふさわしい順序に配列し、段落を示すことでしたね。

意見文では、説明文以上に文章の構造を明確にすることが重要であるといえます。説明文であれば、多少の読みにくさがあったとしても、書かれている事実に誤りがなければ、読み手はある程度理解してくれます。しかし、意見文の場合、**なぜそのような主張ができるのか、論理的な思考の筋道が示されなければ、読み手は納得できない**のです。

さいわい、アカデミックライティングやビジネス文書のような意見文には、先人たちの積み重ねの上に、今日、学問や仕事の場で広く用いられている構成の「型」があります。それが、**序論→本論→結論**（以下、「序本結」）の三部構成です。

〔序　論〕
全体の導入。アカデミックライティングでは、テーマを設定した理由、研究の動機などが入る。ビジネス文書であれば、提案の背景などが入る。試験であれば（多くの場合、テーマは指定されているので）テーマについての現状認識などが該当する。

〔本　論〕
全体の中心。主張とその根拠を示し、根拠の妥当性を証明していく。

〔結　論〕
全体のまとめ。今後の展望や、新たな課題が示されることもある。

意見文においての「結論」には、二通りの意味があります。一つは、文章全体の最後に位置しているひとまとまり、すなわち「結論部」です。本書では、この意味で「結論」という言葉を用いています。一方、考察の末にたどり着いた最終的な判断を「結論」と呼ぶ場合もあります。日常会話において「結論を先に言いなさい」と怒られた経験のある人もいることでしょう。本書では、意見文の「基本セット」を構成する「主張」に該当します。この「結論」は、必ずしも文章全体の最後に書く必要はありません。

ところで、「文章の基本構成は、『起承転結』である」と言われることがあります。文学的な文章はそれでよいでしょう。しかし、本書が目標とするアカデミックライティングやビジネス文書のような意見文の場合、「転」すなわち予期しなかった場面転換から「結」にいたるようなことがあると、「本論」と「結論」の結びつきがあいまいになってしまいます。そのような意見文があるとすれば、全体の論理はねじれてしまっているはずです。

なお、ビジネス文書は、効率化を目指してアカデミックライティングよりもさらに簡潔

な構成を指向する傾向にありますが、本書での詳述は割愛します。

では、「序本結」の構成を念頭において、構成を「可視化」したCさんの答案をごらんください。p.31 には、この答案の構成をアウトライン（概要）の形で示しています。

構成を「可視化」したCさんの答案

日本社会の国際化に伴い、英語教育の重要性が指摘されている。日本の小学校では3学年から週1時間の外国語活動（英語）が必修であるが、さらに早めて1学年からにするべきとの意見がある。

私は、小学校1学年からの英語必修に賛成する。

なぜなら、日本語とは異なる性質を持つ言語だからこそ、できるだけ吸収力に富んだ幼少時から英語に触れておく必要があるからである。以前読んだ英語教育についての本に、興味深いことが書かれてあった。自国語にない音を聴き取る力は、10 歳頃から少しずつなくなっていくという。3学年からでも遅いのである。

英語は、中国語に次ぐ4億人もの人々が母語とする国際共通語である。小学校6年間の学習を土台として、日本社会の国際化を深化させていくべきである。

【Cさんの答案のアウトライン】

序論

第一段落（現状認識）

日本社会の国際化に伴う、英語教育の重要性への指摘

小学校１学年からの英語必修の意見

本論

第二段落（主張）

小学校１学年からの英語必修に賛成

第三段落（主張の論証）

幼少時から英語に触れておく必要性

↑具体的説明

自国語にない音を聴き分ける力のピークは10歳頃

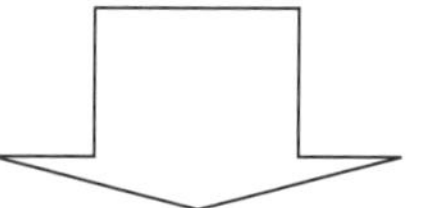

結論

第四段落（まとめ）

小学校６年間の英語学習を土台とした国際交流の深化

国際共通語としての英語

コラム

受験生はすごい

多くの論述試験において、受験生は解答用紙を手書きで埋めながら答案を作成しています。当然といえば当然ですね。しかし、この一点において、私は受験生に尊敬の念を抱きます▶私は立場上、「考えながら書いてはいけません、考えてから書きなさい」と指導します。考えながら書き進めていくと、どうしても構成のバランスがわるくなったり、論理のねじれが出てきたりするからです▶かく言う私が文章を手書きすることは、ごく稀です。大半の文章は文書作成ソフトを使って考えながら作成しています。本書も例外ではありません。デジタルデータならば、原稿用紙への手書きと違い、気軽に書き込んで気軽に修正することができるのです▶受験生にも文書作成ソフトでの答案作成を認めた方が、実社会との整合性も高いはずです。ビジネスの現場はもちろん、大学でも文書作成ソフトによる卒論提出は当たり前ですし、メールでのレポート提出を認めている教員も少なくありません。ただ試験の場合、不正防止の観点からデジタルデータの扱いに課題があることは想像にかたくありません▶試験会場で初めて問題を見て、せいぜい1、2時間で数百字ないし1,000字を超える文章を作成する受験生たちはすごい、と心底思います。どうか、どんな難しい問題に遭遇しても落ち着いて、「上手」に書こうとせず、「しっかり」書いてください▶「出題者だって、制限時間内に立派な答案など書けるはずがない」と自信を持ちましょう。出題者がふだんから原稿提出の締め切りを守っているとは限らないのですから。

第4章

意見文を書く！　その2

本章では、第３章で基本を学んだ「意見文」の説得力をさらに高めるために、自問自答で根拠を深める方法や、反駁（はんばく）について学んでいきましょう。

（※反駁（はんばく）…他人の主張や批判に対して論じ返すこと）

第一節 「対話」によって高まる説得力

私は、ライター（執筆者）である前にエディター（編集者）です。編集者の仕事内容は、出版形態やジャンルによって必ずしも一定ではありませんが、私の考える編集者の仕事は、①企画にふさわしい原稿を書ける執筆者を見出して的確な原稿依頼を行うこと、②入手した原稿を出版できる形にまとめていくことの２点に集約されます。編集者自身も専門的な知識を持っているに越したことはありませんが、編集者に必要なのはむしろ、「読者代表」としての感覚です。専門家の文章は、往々にして難解です。中学生向けなら中学生、高校生向けなら高校生の思考力・語彙力・背景知識などを想像しながら、執筆者原稿の難解な部分を解きほぐしていくのです。

しかし、執筆者の文章の「添削」は、できるだけ行いたくありません。執筆者の叱責が怖いのではありません。私の勝手なリライト（書き直し）によって、（たとえ、私のリライトが正確かつ簡潔で読みやすい日本語であっても）執筆者の意図した本質が抜け落ちてしまうことが怖いのです。原稿に難解な部分があれば、できるだけ執筆者に質問します。「○○ということを意図されているのでしょうか？」と自分なりの言葉に置き換えて投げかけるのです。これに対して「△△ということが言いたいのだ」と返ってくる執筆者の答えを、原稿に反映していくのです（執筆者の原稿が、失礼ながら大変不出来な場合、あまりにも時間が足りない場合には、エディターからライターへと頭を切り替え、ひたすらリライトすることもあるのですが）。

対話を通して、執筆者からよりよいものを引き出す。この考え方は、本書で学んでいる文章にも通ずるのではないでしょうか。**読み手は表現の巧拙だけを見て善し悪しを判断するのではなく、「なぜ、それを述べなければならないのか」「なぜ、そのように表現しなければならないのか」を問いかける。**書き手はそれに答えることを通して、自らの意図を「発見」し、文章の説得力が高まっていくのです。

本節のワンポイント　「自問自答」で根拠を深める

第３章では、意見文の基本セットを確認することによって、文章全体の骨格を明確化することを提案しました。しかし、基本セットだけでは説明不足であり、読み手にとって多くの疑問が残されていることも確かです。

そこで、**読み手の立場からの疑問に答えながら、根拠を深めていく**のです。試しに、第３章で取り上げた基本セット（p.25 の例文１）の根拠を深めてみましょう。

【基本セットの根拠を深める】

死刑制度の存続に反対である。
なぜなら、刑罰本来の役割に反しているからである。

刑罰には、犯罪者に深い反省を促すという役割がある。

だけど、凶悪な殺人事件の遺族の無念さは、命を絶たれる苦痛を犯罪者にも与えてこそ、晴らされるのでは？

凶悪犯罪の被疑者の中には自ら死刑を望む者もおり、必ずしも苦痛とは言えない。

復習ミニワーク

意見文の「基本セット」を作成し、p.35の例にならって、自問自答しながら根拠を深めなさい。

基本セット

イヌやネコなどのペットショップでの販売を法律で禁止することに（賛成・反対）である。

↑どちらかを○で囲む

なぜなら、

解答例／解説はこちら

解答例／解説は右よりダウンロードできます。https://osaka-kyoiku-tosho.net/pdf/appendix12.pdf

第二節　私の意見にも「抵抗勢力」

「抵抗勢力」という言葉がさかんに用いられるようになったのは、今世紀に入ってからのことではないでしょうか。2001年から2006年にかけて首相をつとめた小泉純一郎氏が、主要政策である郵政民営化に反対する人々を「抵抗勢力」と呼び、郵政民営化の是非が国民的な議論となったのです（かつて、郵便や郵貯などは国営でした）。

「郵政民営化に賛成してくれるのか、反対するのか、これをはっきりと国民の皆様に問いたい」として断行した「郵政解散」（2005年）にともなう衆議院議員選挙において小泉首相は、郵政民営化に反対する候補者に対して「刺客」と呼ばれる対立候補を送り込み、有権者に「賛成か」「反対か」の二者択一を迫りました。たとえ相手がかつての同僚であっても容赦ありませんでした。

以後「抵抗勢力」という言葉は、何ごとかを推進しようとする立場から見た反対勢力を総称する言葉として一定程度定着した感があります。本書としては「郵政民営化」「郵政解散」の是非ではなく、自分にとって敵であるはずの「抵抗勢力」をあえてクローズアップし利用するという手法に注目してほしいのです。

「抵抗勢力」の利用に通ずる手法として、意見文には**「反駁（はんぱく）」**と呼ばれる手法があります。**反駁とは自分の意見と対立する意見に論じ返すこと**を指します。第3章で取り上げたCさんの答案をもう一度掲げます。この文章に反駁を盛り込むには、どうすればよいのでしょうか。

> 日本社会の国際化に伴い、英語教育の重要性が指摘されている。日本の小学校では3学年から週1時間の外国語活動（英語）が必修であるが、さらに早めて1学年から必修にするべきとの意見がある。
>
> 私は、小学校1学年からの英語必修に賛成する。
>
> なぜなら、日本語とは異なる性質を持つ言語だからこそ、できるだけ吸収力に富んだ幼少時から英語に触れておく必要があるからである。以前読んだ英語教育についての本に、興味深いことが書かれてあった。自国語にない音を聴き取る力は、10歳頃から少しずつなくなっていくという。3学年からでも遅いのである。
>
> 英語は、中国語に次ぐ4億人もの人々が母語とする国際共通語である。小学校6年間の学習を土台として、日本社会の国際化を深化させていくべきである。

本節のワンポイント 「反駁」で自分の意見を引き立てる

Ｃさんの答案は小学校１学年からの英語必修に賛成する立場からの意見文でした。したがって、必修に反対の意見に対して、反駁を行うことになります。

下の文章では、Ｃさんが新たな段落を設けていることがわかります。＿＿＿部分でＣさんはあえて自分にとっての「抵抗勢力」（１学年からの必修反対派）の言い分を取り上げています。そして、～～～部分で「抵抗勢力」の言い分の問題点を突くことによって根拠を深め、自分の意見を引き立てているのです。つまり、反駁とは、前節の**「自問自答」の「自問」の部分をあえて読み手にも伝える**手法であると言えます。

反駁は、「郵政民営化」や「原発即時ゼロ」のように「賛成」「反対」の二者択一で論じられる論争的なテーマの意見文において効果的な手法です。

日本社会の国際化に伴い、英語教育の重要性が指摘されている。日本の小学校では３学年から週１時間の外国語活動（英語）が必修であるが、さらに早めて１学年から必修にするべきとの意見がある。

私は、小学校１学年からの英語必修に賛成する。

なぜなら、日本語とは異なる性質を持つ言語だからこそ、できるだけ吸収力に富んだ幼少時から英語に触れておく必要があるからである。以前読んだ英語教育についての本に、興味深いことが書かれてあった。自国語にない音を聴き取る力は、10歳頃から少しずつなくなっていくという。３学年からでも遅いのである。

英語に堪能な教師を増員するための費用が足りない、という意見もある。しかし、これは「教師がすべて教え込まなければならない」という授業観に基づく発想である。そもそも小学校の教師には、個別の科目の専門家としての知識よりも児童の意欲を引き出す実践家としての技量が求められるはずである。地域の在留外国人の力を借りるなど、工夫の余地があるのではないだろうか。

英語は、中国語に次ぐ４億人もの人々が母語とする国際共通語である。小学校６年間の学習を土台として、日本社会の国際化を深化させていくべきである。

念のため一言。本節でいう「抵抗勢力」は、反駁のために仮想した相手です。「やり込めよう」などと考えてはいけません。あくまで理性的に論じ返しましょう。論文・レポートなどのアカデミックライティングにおける反駁は、他者の意見に耳を傾け、よりよい道を探るための端緒なのです。

【Cさんの答案（反駁付き）のアウトライン】

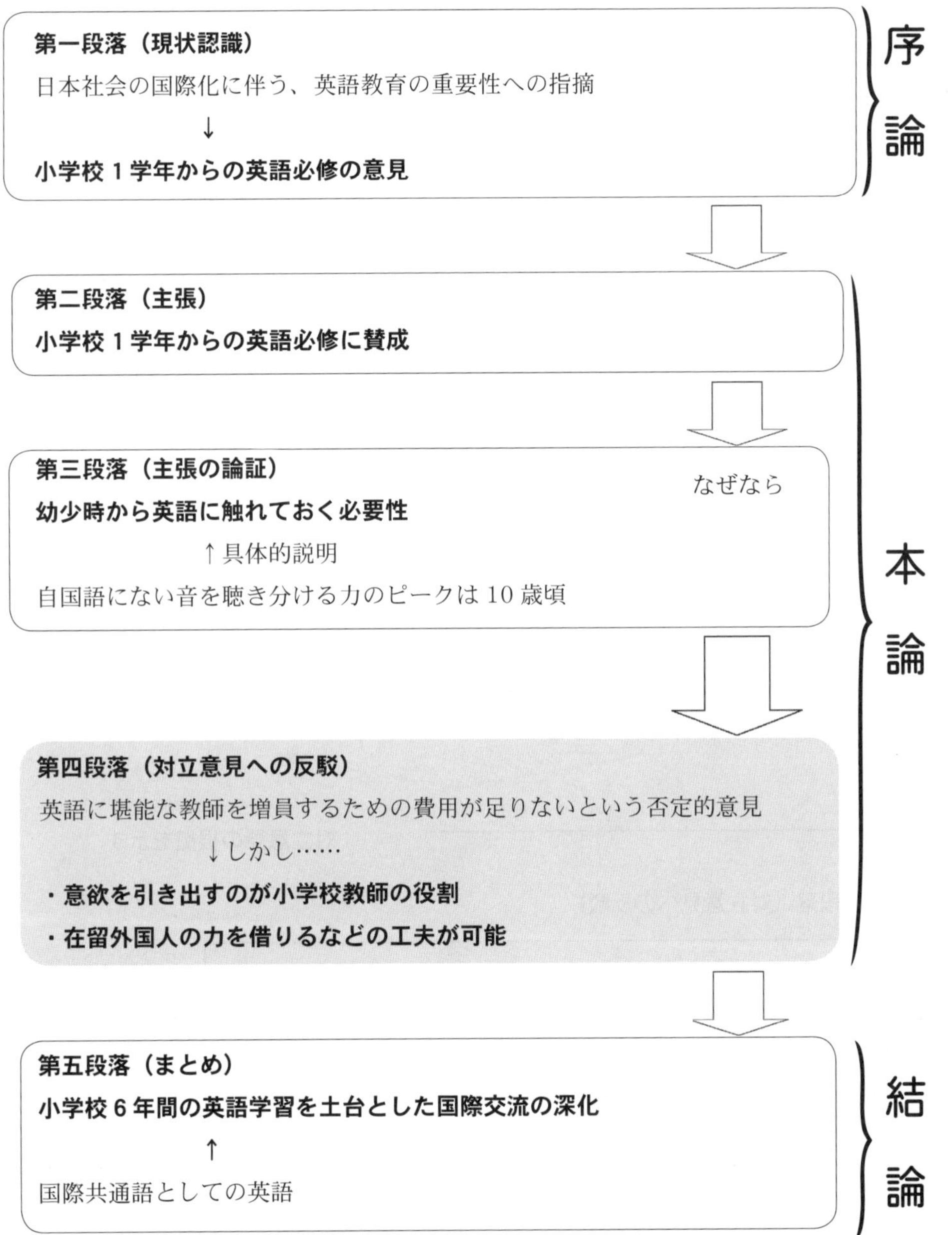

復習ミニワーク

「バレンタインデーの義理チョコは止めるべきだ」という考えに対する意見文のアウトラインを作成してください。ここでは、（主張）→（主張の論証）→（対立意見への反駁）の三段落構成とします。

【アウトライン】

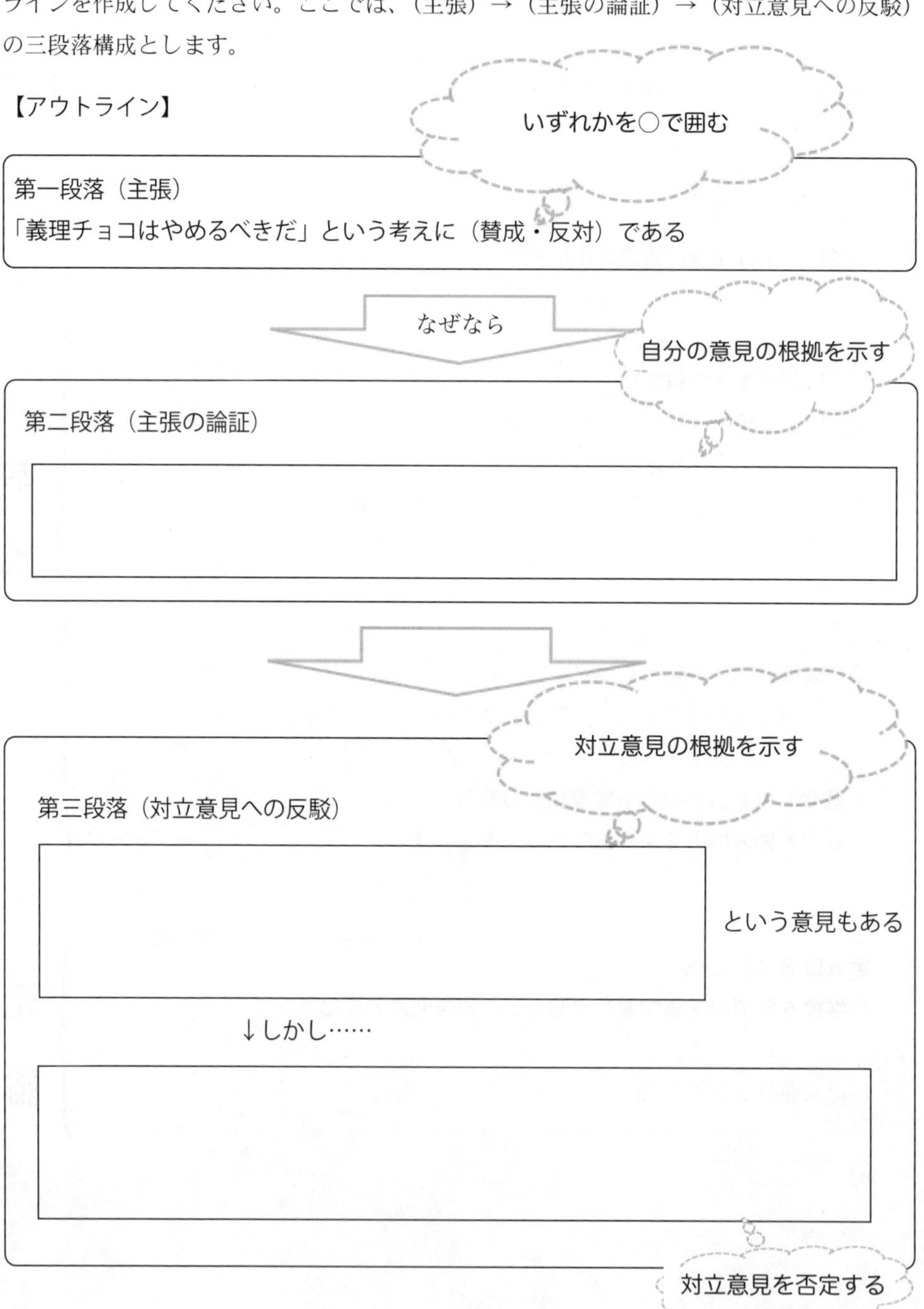

解答例／解説はこちら

解答例／解説は右よりダウンロードできます。https://osaka-kyoiku-tosho.net/pdf/appendix13.pdf

第5章

資料を活用する！

本章では、文章の作成に関連して、さまざまな資料（他人が書いた文章や客観的なデータなど）を適切に活用する方法について学んでいきましょう。

第一節　適切に引用する

引用とは、自分の意見の根拠として他人の文章や発言などを用いることです。引用することによって、自分自身では体験できないこと、思いも及ばない見方・考え方を、自分の意見の根拠とすることができます。また、その道の専門家による「権威付け」の効果も期待できるのです。

引用の方法について、越田年彦『わかりやすく説く　日本経済・戦後と現在』（五絃舎、2006 年、p.150 ）の次の一節を例として説明しましょう。

> 工場をより大規模にして、大量生産をする方がコストが下がって有利になる。このことを規模の経済というが、教育は規模の経済が働かない特別な分野である。大教室に多数の生徒を集めて授業をするよりも、教師１対生徒１のマンツーマンの方が効果が上がる。しかし、2002 年の統計によれば、日本の中学校（前期中等教育）では、一学級あたりの生徒数が約 34 人と、ＯＥＣＤ諸国の平均 24 人よりも大幅に多い。もっと一学級あたりの子供の数を減らし、教師の数を増やして教育の質を上げる必要がある。経済や企業の論理と教育の論理は違う。教育に対するこうした考えが広く支持されるようになるのかどうかも真の豊かさの目安となる。

引用には、**「直接引用」**と**「間接引用」**があります。直接引用とは、文字通り、元の文章を一字一句変えずに引用することです。間接引用とは、元の文章の趣旨を自分の言葉に置き換えて引用することです。

【直接引用の例】（下線が引用部分）

越田年彦（2006）は、「工場をより大規模にして、大量生産をする方がコストが下がって有利になる。このことを規模の経済というが、教育は規模の経済が働かない特別な分野である。大教室に多数の生徒を集めて授業をするよりも、教師１対生徒１のマンツーマンの方が効果が上がる。しかし、2002 年の統計によれば、日本の中学校（前期中等教育）では、一学級あたりの生徒数が約 34 人と、ＯＥＣＤ諸国の平均 24 人よりも大幅に多い。もっと一学級あたりの子供の数を減らし、教師の数を増やして教育の質を上げる必要がある。経済や企業の論理と教育の論理は違う。教育に対するこうした考えが広く支持されるようになるのかどうかも真の豊かさの目安となる」と述べている。

【間接引用の例】（下線が引用部分）

越田年彦（2006）は、教育は規模の経済が働かない分野であるという考え方の普及度も真の豊かさの目安であると述べている。

直接引用の短所は、作成する文章の字数が限られている場合、引用部分によって、自分自身の文章を書き込む余地が圧迫されてしまうことです。その点、間接引用であれば、自分の言葉に置き換えることによって、引用箇所を短縮することができます。制限字数が限られている場合に適した方法であるといえるでしょう。しかし、言葉の置き換えが不十分な場合、間接引用は元の文章の趣旨を損ねる危険性があります。直接引用の場合以上に、元の文章を的確に理解して引用しなければなりません（ただし、直接引用の場合も、前後の文脈に配慮することなく特定の部分だけを切り出すことによって、元の文章の著者が意図しなかった意味が生じてしまう場合があります)。

さて、次の例文は、前出の越田の文章を間接引用して作成した意見文です。適切な引用と言えるのはどちらでしょうか。

【Aさんの文章】

越田年彦（2006）は、教育は規模の経済が働かない分野であるという考え方の普及度も真の豊かさの目安であると述べている。私も大いに賛同する。

【Bさんの文章】

越田年彦（2006）は、教育は規模の経済が働かない分野であるという考え方の普及度も真の豊かさの目安であると述べている。多数の学生を対象とした講義形式の授業は、知識の大量伝達という面ではきわめて効率的であろう。しかし、緊張感が薄れてしまっている学生や授業のペースについていけない学生が、教師に気づかれぬまま置き去りにされてしまうこともある。そもそも教育とは、大規模に大量生産する工業よりも、手間ひまをかけ個々の作物の面倒を見る農業に近い営みだったのではないだろうか。

本節のワンポイント　自分が「主」、引用は「従」

適切な引用例は、Ｂさんの文章です。

「引用文を尊重しているのは、賛意を明確に示しているＡさんの方ではないか？」という見方もあるかもしれません。しかし、引用においては**自分の文章が「主」、引用文が「従」**でなければならないのです。

Ａさんの文章は、引用文が「主」で自分の意見が「従」です。単なる「賛成」「反対」だけならば、あえてＡさんが論じる必然性がありません。Ａさんがなぜ越田の見解に賛同できるのかについて述べられていないので、越田の文章の単なる「転載」とみなされてしまう可能性があります。「転載」は著作者の権利を守るために、厳しく制限されている行為なのです（余談ですが、教材編集者としての私が、ふだんの教材作りにおいて最も神経をつかう仕事の一つが、引用の妥当性をみきわめることなのです）。

【Aさんの文章】

越田年彦（2006）は、教育は規模の経済が働かない分野であるという考え方の普及度も真の豊かさの目安であると述べている。私も大いに賛同する。

✕　引用が「主」で自分の意見が「従」

一方、Bさんは、越田の見解に触れて思い起こした自分自身の体験を踏まえて、「教育は規模の経済が働かない分野である」とはどういうことか具体的に述べ（＿＿部分）、そこから改めて得られた見解を自分なりの言葉でまとめなおしています（〰〰部分）。Bさんの文章は、自分の意見が「主」で引用文が「従」なのです。これは単なる分量の問題ではありません。**引用にあたっては、その文章を用いる必然性がなければならない**のです。Bさんの意見は、越田の文章との出会いがあったからこそ、導き出されたものであると言えるでしょう。

【Bさんの文章】

越田年彦（2006）は、教育は規模の経済が働かない分野であるという考え方の普及度も真の豊かさの目安であると述べている。多数の学生を対象とした講義形式の授業は、知識の大量伝達という面ではきわめて効率的であろう。しかし、緊張感が薄れてしまっている学生や授業のペースについていけない学生が、教師に気づかれぬまま置き去りにされてしまうこともある。そもそも教育とは、大規模に大量生産する工業よりも、手間ひまをかけ個々の作物の面倒を見る農業に近い営みだったのではないだろうか。

 自分の意見が「主」で引用が「従」

引用文に対しては必ずしも賛意を示さなければならない、というわけではありません。**自分の意見を際立たせるために、引用文を批判的に用いることもあります。**次のCさんの文章は、私の文章を批判的に引用したものです。Cさんは、決して私自身の人格を攻撃しているのではありません。あくまでも私の意見そのものに対して理性的に反論を加え、自分の意見を補強しているのです。私は、あまたある文章の中から拙文を選んでくれたこと

にむしろ感謝しつつ、受け入れるべきことは受け入れ、納得いかない点については再反論すればよいのです。

【Cさんの文章】

平川敬介（2024）は、「幼少から英語に触れる必要性」を根拠に小学校１学年からの英語必修に賛成する意見文において、対立意見として「英語に堪能な教師を増員するための費用不足」を挙げている。教育政策をめぐる意見文であることから政策実行の実務的側面に着目したのであろうが、意見文では、筆者の意見と対立意見の観点に高い整合性が求められる。小学校関連のテーマである以上、「児童への影響」という観点からの対立意見が適切ではないか。

復習ミニワーク

次の資料は、物理学者であり随筆家でもあった寺田寅彦が1932年に発表した『読書の今昔』という文章の一部です。この資料を引用して、あなた自身の考えを述べた意見文を作成してください（300字以内）。引用の方法は、直接引用でも間接引用でも構いません。「寺田によれば～」「筆者は～と述べている」など、自分の意見と区別して示してください。

現代では書籍というものは見ようによっては一つの商品である。それは岐阜提灯や絹ハンケチが商品であると同じような意味において商品である。その一つの証拠にはどこのデパートメント・ストアーでもちゃんと書籍部というのが設けられている。そうして大部分はよく売れそうな書物を並べてあるであろうが、中にはまたおそらくめったには売れそうもない立派な書籍も陳列されている。それはちょうど手ぬぐい浴衣もあればつづれ錦の丸帯もあると同様なわけであって、各種階級の購買者の需要を満足するようにそれぞれの生産者によって企図され製作されて出現し陳列されているに相違ない。

商品として見た書籍はいかなる種類の商品に属するか。米、味噌、茶わん、箸、飯櫃のような、われわれの生命の維持に必需な材料器具でもない。衣服や住居の成立に欠くべからざる品物ともちがう。それかといって棺桶や位牌のごとく生活の決算時の入用でもない。まずなければないでも生きて行くだけにはさしつかえはないもののうちに数えてもいいように思われる。実際今でも世界じゅうには生涯一冊の書物も所有せず、一行の文章も読んだことのない人間は、かなりたくさんに棲息していることであろう。こういうふうに考えてみると、書物という商品は、岐阜提灯や絹ハンケチや香水や白粉のようなものと同じ部類に属する商品であるように思われて来るのである。

（昭和七年一月、東京日日新聞）

底本：「寺田寅彦随筆集　第三巻」小宮豊隆編、岩波文庫、岩波書店　1948（昭和23）年5月15日第1刷発行
1963（昭和38）年4月16日第20刷改版発行　1997（平成9）年9月5日第64刷発行
入力：（株）モモ　校正：かとうかおり　2003年4月1日作成
青空文庫作成ファイル：このファイルは、インターネットの図書館、青空文庫（http://www.aozora.gr.jp/）で作られました。入力、校正、制作にあたったのは、ボランティアの皆さんです。

解答例／解説はこちら

解答例／解説は右よりダウンロードできます。https://osaka-kyoiku-tosho.net/pdf/appendix18.pdf

第二節　文章を要約する

「この文章を○○○字以内で要約しなさい」

国語のテストなどで、このような問題に幾度となく出くわしてきたのではないでしょうか。要約とは「文章の要点を短くまとめること」ですが、そもそも要約は何のために必要なのでしょうか。

論文・レポートなどのアカデミックライティングに限って言えば、要約の力が具体的に役立つ場面が、少なくとも二つあります。一つは、**間接引用**（第一節参照）をするとき、もう一つは完成した論文について**論文概要（アブストラクト）**を作成するときです。

たとえば、自分の文章の中で，他人の文章の要旨を間接引用で紹介することがあります。ブックレビュー（書評）が典型的ですね。この場合、引用する文章は、できるだけ短い要約でなければなりません。

論文概要とは、文字通り、論文の内容を要約したものです。研究者たちは、自分の研究に資する論文か否かを、まず、この論文概要を読んで判断することによって、全文を読む時間を節約することができるわけです。なお、アカデミックライティングだけでなく、ビジネス文書にもサマリー（要約文）の添付が要求されることが多いようです。ビジネスの現場において、決断のスピードがますます重視されてきています。管理職の人々が、文書を読むのに費やす時間をできるだけ節約しようとしていることは、想像に難くありません。

本節のワンポイント　文章の目的を踏まえ要点をつかむ

ここで、文章の要点に論理的に迫り、的確に要約する方法を考えてみましょう。

まず試しに、次の文章ア（約600字）を100字程度に要約してみましょう。

文章ア

輸入食品の安全性が大きな問題となっている。2018年春には、オーストラリア産の小麦から基準値を超える殺菌剤が検出された。

輸入元の生産・流通体制の監視も重要ではあるが、各国に主権がある以上、限界がある。日本国内の消費のあり方を多角的に見直さなければならない。

まず、多くの消費者が輸入品に頼らざるを得ないという状況を根本から改めるべきである。生鮮食料品売場で国産品と輸入品が同じ価格で売られていれば、大半の消費者が国産品を選択するであろう。国産品であれば何でも安全というわけではないが、国産品には、目の届く範囲で監視ができるという安心感がある。しかし、社会構造の変化に伴って増加した低所得層の人々は、国産品を選びたくても安価な輸入品を選ぶほかない、という状況に追い込まれているのである。

一方、消費者側も「国産品は常に割高である」という先入観にとらわれてはならない。地元でとれた「旬」の食材であれば、ハウス栽培や遠距離輸送のための燃料費などのコストもかからず、比較的安価で購入できるはずである。安いからと大量に買い込んだ輸入品を冷蔵庫の中で腐らせてしまうよりも、長い目で見ればむしろ経済的であるともいえるだろう。

文章アの要約

輸入品の安全性が大きな問題となっており、日本国内の消費のあり方の多角的見直しが求められている。輸入品依存の根本的是正が必要であり、消費者側も「国産品は割高」という先入観を捨てるべきである。

この要約がどのようにしてできあがったのか、一目瞭然でしょう。文章アの各段落の中心文を取り出してつなぎ合わせ、微調整しただけです。中心文とは、文字通り段落の中心的な内容を表す文です。たとえば、第三段落の中心文は「まず、多くの消費者が輸入品に頼らざるを得ないという状況を根本から改めるべきである」という文です。同じ段落の残る三つの文は、低所得層の人々がおかれている状況を具体的に説明することによって、中心文を支えており、このような文を「支持文」といいます。

しかし、**段落ごとの中心文を取り出してつなぎ合わせるという方法が、すべての文章の要約において通用するわけではありません。**文章アは、教材として用いるために、中心文・支持文を強く意識して筆者が書き起こしたものです。英文（トピックセンテンスを明確化したパラグラフライティングが徹底している）の場合はともかく、日本語で書かれた文章が必ずしも中心文・支持文を強く意識して書かれているものばかりであるとは限らないのです。

中心文・支持文に頼ることなく文章の要点をつかむには、まず文章の目的を見極めることが大切です。

文章アの中心文（○数字は段落記号）

① 輸入食品の安全性が大きな問題となっている。2018 年春には、オーストラリア産の小麦から基準値を超える殺菌剤が検出された。

② 輸入元の生産・流通体制の監視も重要ではあるが、各国に主権がある以上、限界があ

る。日本国内の消費のあり方を多角的に見直さなければならない。

③　まず、多くの消費者が輸入品に頼らざるを得ないという状況を根本から改めるべきである。生鮮食料品売場で国産品と輸入品が同じ価格で売られていれば、大半の消費者が国産品を選択するであろう。国産品であれば何でも安全というわけではないが、国産品には、目の届く範囲で監視ができる、という安心感がある。しかし、社会構造の変化に伴って増加した低所得層の人々は、国産品を選びたくても安価な輸入品を選ぶほかない、という状況に追い込まれているのである。

④　一方、消費者側も「国産品は常に割高である」という先入観にとらわれてはならない。地元でとれた「旬」の食材であれば、ハウス栽培や遠距離輸送のための燃料費などのコストもかからず、比較的安価で購入できるはずである。安いからと大量に買い込んだ輸入品を冷蔵庫の中で腐らせてしまうよりも、長い目で見ればむしろ経済的であるともいえるだろう。

意見文の要約

中心文に頼らないで意見文を要約する方法を、次の文章イを通して考えてみましょう。

文章イ

母の日を前に、今年もカーネーションが花屋の店先を彩った。最近は、コロンビア・中国・ベトナムなど外国から輸入される切花も多いそうだ。

母の日にカーネーションを贈る習慣は、100年以上前にアメリカではじまったという。アンナ＝ジャーヴィスという女性が、母親の追悼式で白いカーネーションをささげたのだ。その後、母の日を制定する運動を展開したアンナは、母親が健在の人は赤、亡くした人は白のカーネーションを胸に着けるよう提案したという。

筆者は例年、亡き母の仏前にたむける白いカーネーションを、近所のスーパーの生花コーナーで買い求める。ところが今年に限って、「お売りできません」と店員が言う。品切れではない。白いカーネーションが数本あるにはあるのだが、どういうわけか、すっかり萎（しお）れてしまっていたのだ。

仕方なく筆者は、隣町のスーパーに足を伸ばした。「あそこにある白をください」──しかし店員は、「白はありません」と言い放つ。店員は間違っていない。真っ白に見えた花弁は、よく見るとピンクで縁取られていた。確かに間違っていない。けっして間違ってはいないのだが……。

私たちは、モノやサービスを売り買いする経済に支えられて日々の生活を送っている。しかし、そこに行き交うのは、モノやサービス、そして対価として支払われるお金だけなのだろうか。白いカーネーションをめぐる二人の店員とのやりとりを思い出すたび、そんな疑問に駆られるのだ。

この文章は意見文であるという前提で提示されています。しかし、第一段落は最近のカーネーションの輸入先、第二段落はカーネーションをめぐる歴史、第三・四段落はカーネーションをめぐる筆者の体験といった具合で、「事実の記述」ばかりのようにも見えます。

意見文とは、文字通り、意見を伝えることを目的とした文書ですから、最も重要な意見（主張）を見つけ出さなければなりません。最終段落直前の段落まではカーネーションにまつわる具体的な話題であったのが、最終段落で「経済に支えられた日々の生活で行き交うもの」という、より大きく抽象的な話題に発展していることがわかります。五つの段落の重みは均等ではなく、最終段落に至るまでの四つの段落は、あくまでも最終段落の内容を支えるための文章に過ぎないのです。

では、最終段落の中でも最も重要な部分はどこでしょうか。候補として＿＿＿部分が残ります。疑問を投げかける形をとってはいますが、筆者としては白いカーネーションをめぐる二つの残念な体験を踏まえて「行き交うのはモノやサービス、お金だけではない」という主張を込めたのです。

私たちの生活を支える経済活動において行き交うのは、モノやサービス、それらの対価としてのお金だけではないはずである。

「段落ごとに中心文を見つけて、つなぐ」という要約に慣れ親しんできた人にとって、最終段落以外の内容を思い切って捨ててしまったことは驚きかもしれません。しかし、**意見文の要約においては、とにもかくにも、最も重要な意見（主張）を外してはならない**のです。

そして字数に余裕があれば、根拠も盛り込みたいところです。さらに余裕があれば、読み手の属性を考慮しながら、事実を説明している部分も適宜加えていくとよいでしょう（ただし、文章イの場合は「根拠」と呼べる内容が曖昧（あいまい）です）。

ちなみに文章イは、筆者が新聞コラムのパターンをまねて書き起こしたものです。この「偽コラム」のように、新聞コラムでは、文章の大半を使って故事来歴などの蘊蓄（うんちく）を傾けて、最終段落で筆者の意見を述べるというパターンが多く見られます。本書の各章で取り上げている実際の新聞コラムは「意見文」と言えるものを厳選していますが、意見どころか感想レベルでとどまっているコラムも少なくありません。

特定の新聞社のコラムをひたすら模写して手本としている人も少なくないようです。確かに、新聞コラムはさまざまな語彙や表現の宝庫ですが、新聞コラムのような構成や文体が、アカデミックライティングやビジネス文書でもそのまま通用するとは言い難いのです。新聞コラムを権威的にとらえるのではなく、もっと主体的に活用したいものです。

説明文の要約

要約しようとする文章が説明文である場合は、どのようにすればよいのでしょうか。下の文章ウを例に考えましょう。

まず、この文章の目的を見極めます。第三段落に「博多と福岡にはそれぞれどのような来歴があるのでしょうか」という問題提起があります。そして、第四段落で博多について、第五段落で福岡について述べた上で、第五段落には「異なる来歴をもつ二つの町」とあります。以上から、この文章は博多と福岡の来歴の違いを説明しようとしていることが分かります。

違い、すなわち相違点の説明という文章の枠組みが明確化しました。そこで、この枠組みを念頭に文章の内容をp.55上の表のように整理してみました。

文章ウ（○数字は段落番号）

① 東京発のテレビニュースで「福岡県博多市」と報じられていましたが、これは誤りです。福岡県の県庁所在地は「福岡市」。福岡市の行政区の一つが「博多区」なのです。

② とは言え、九州新幹線の起点となる主要駅は「福岡駅」ではなく「博多駅」ですし、「福岡吉本」から全国区になったのは「博多華丸・大吉」です。しばしば「福博の町」と表現されるように、福岡市には博多としての顔と福岡としての顔があるといわれています。

③ それでは、博多と福岡にはそれぞれどのような来歴があるのでしょうか。

④「博多」の名の登場は古代にまでさかのぼります。博多は、重要な政治拠点となることもありましたが、古代から近世にかけて中国大陸との交易を通して主に商業都市として発展してきたのです。交易に従事した中国商人たちは商業だけでなく禅宗など文化の移入にも貢献し、中には博多に住み着いた者もいたほどです。

⑤ そして江戸時代初め頃、博多の西方に黒田氏が福岡城を築いたのです。「福岡」の名は、黒田氏の出身地である備前国（現在の岡山県）邑久郡福岡にちなんでいます。以後、長崎警護などの重責を担った黒田氏の下、福岡は200年以上にわたって城下町として発展してきました。

⑥ こうした異なる来歴を持つ二つの町からなる「双子都市」として、現在の福岡市をとらえる見方があります。

博多と福岡

	博　多	福　岡
始まり	古代	江戸時代初め頃（近世）
位置づけ・性格	重要な政治拠点となった商業都市として発展	黒田氏の城下町として発展
その他（エピソードなど）	中国商人が文化を伝え、住み着いた者もいた	黒田氏の出身地の地名に由来

整理した情報を基に、相違点の説明という枠組みを使って要約文を作成してみました。

博多は古代から近世にかけて商業都市として発展し、福岡は江戸時代初めから黒田氏の城下町として発展した。

「来歴」とは、ある物事のなりゆきです。したがって、いつ始まった町なのか（始まり）、どのような町として発展してきたのか（位置づけ・性格）をしっかりとつかまなければなりません。したがって、中国商人や黒田氏の出身地のエピソードも興味深いですが、優先順位は下がります。

また、博多が「重要な政治拠点となった」ことも重要ではありますが、福岡の「城下町」は一種の政治都市です。博多と福岡との「違い」をより明確に対比するため、あえて盛り込みませんでした。

ここでは、「相違点」の説明を例に挙げましたが、ほかにも、説明文においては「定義」「経過」など、さまざまな内容が説明されています。いずれにしても、**文章の目的を踏まえて、全体の枠組みを明らかにする**こと、その枠組みを基に要約文を作成することが大切です。

読解に役立つ書籍

藤沢晃治『理解する技術』PHP 新書 344、2005 年

世の中にあふれている情報には分かりにくいものが多い、という前提に立って、大量の情報の中から必要な情報を得る技術について解説しています。短期間に情報を収集したり文献を要約したりする際に役立ちそうです。本書における説明文の要約で表を作る手法（第５章）も、この本を参考にしています。なお、同著者の『「分かりやすい説明」の技術』（講談社ブルーバックス B1387、2002 年）は、主に口頭発表を念頭においた解説書ですが、文章表現の上でも大いに参考になります。本書の「事実をしっかり説明しよう」（第２章）もこの本を参考としています。

復習ミニワーク

【作業 1】　次の文章を、60 字以内で要約しなさい。

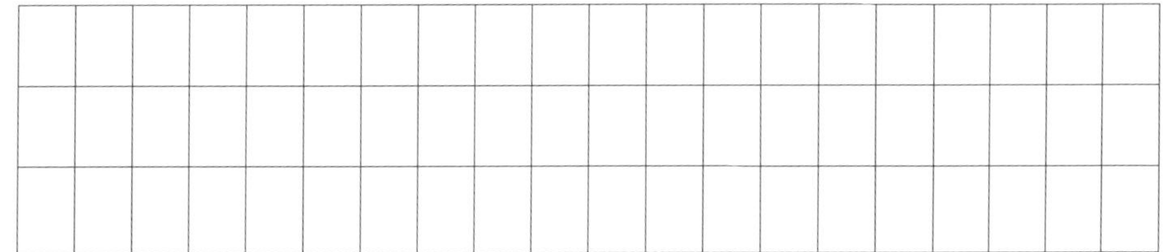

サイコロを振ってコマを動かすボードゲームや、崩さないよう積み木を重ねるゲームなど、家族がテーブルを囲んで遊べるゲームが見直されている。コンピューターゲーム全盛の時代だが、家族で会話しながら同じ時間を共有できるのが「アナログ」ゲームの魅力なのだという。

東京都内のIT 会社社長（35）は、しまい込んでいたボードゲーム「モノポリー」を今夏引っ張り出した。妻と小学1年の息子(7) の3人で遊んでいる。「東日本大震災の後、家族一緒にいる時間を大事にしたいという思いが強まった。このゲームで遊ぶのも、そんな時間の一つ」という。

「モノポリー」は、サイコロを振ってコマを進め、土地や企業を売買して資産を増やすゲーム。取引を通じて親子の会話も弾む。「計算がよくできるようになったな、大人と対等に交渉するのが面白いんだなと、息子の成長を感じられるのもうれしい」と社長。最近は月に1、2回、家族でゲームの大会やイベントに出るようになった。

各地でイベントを開く日本モノポリー協会の専務理事は、「このような家族連れの参加は、例年の倍以上に増えています」と話す。

こうしたボードゲームは震災後、売り上げが伸びた。玩具メーカー「タカラトミー」によると、「人生ゲーム」は4～9月の出荷数が昨年同期比で2割増。積み木を崩れないよう積み上げる「ジェンガ」や、アクションゲーム「黒ひげ危機一発」は、それぞれ4割も増えた。広報担当者は「親世代が子どもの頃楽しく遊んだ記憶のあるものばかり。我が子にも同じ思い出をと考える人が多いのでは」とみる。

玩具専門店「博品館 TOY PARK」（東京）の広報担当者は、「ボードゲーム以外にも、コミュニケーションを楽しめるおもちゃが人気。例えば、みなが音を出してハーモニーを奏でるおもちゃが売れている」と話す。クリスマスや正月に家族で遊ぼうと、買っていく人が多いという。

電通総研の研究員は「アナログゲームはもともと知っているから安心して選べる。不安が高まった年だけに、こうした定番商品が好まれたのでしょう」と指摘している。

（「読売新聞」2011 年 12 月 22 日）

作業１のヒントはこちら 

作業１のヒントは右よりダウンロードできます。https://osaka-kyoiku-tosho.net/pdf/appendix14.pdf

第5章　資料を活用する！

【作業 2】　次の文章を、60 字以内で要約しなさい。

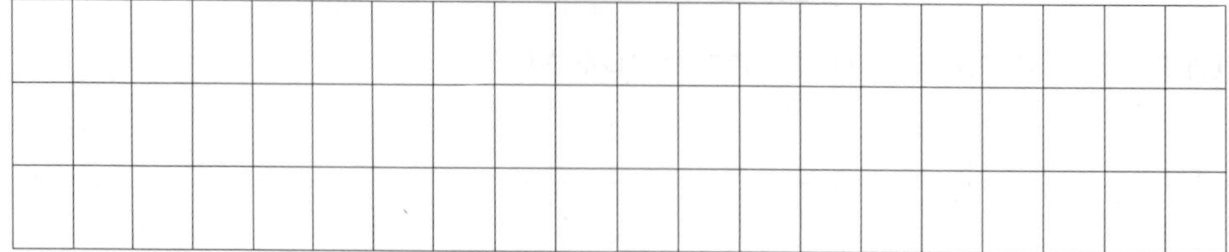

コンサートマスターが合図を送ると、まずオーボエが音を出す。その音を目指すように、すべての楽器が音合わせを始める。オーケストラの開演直前のおなじみの場面だ。

オーボエは音程を調整しにくい楽器で、他の楽器が合わせる必要がある。音がよく響くことも理由という。音合わせは、美しいハーモニーを作り出すために欠かせない手順。本番を前にメンバーが気持ちを集中させる役割もある。

企業活動も同様ではないか。社員の目指すものがばらばらだったり、そもそも基準とするべき「音」が間違っていれば、組織はとんでもない方向に走り出してしまう。そんな、聴くに堪えない「演奏」が最近目立ち始めた。

多くの乗客の命を預かっているという自覚もなく、補修が必要なレールを放置していたＪＲ北海道。何よりも信用を大事にしなければならない金融機関なのに、暴力団など反社会的勢力との取引を続けていたみずほ銀行。

オーケストラの音合わせの際、オーボエが出す音は国際的にも「ラ」と決まっている。企業も必ず合わせなければならない音がある。それは企業倫理以外にない。社会的責任が大きな存在ならなおさらだ。

「ドレミの歌」の日本語歌詞では「ラッパのラ」と歌われる。この音がちゃんと出ないと、その後に「幸せ」は続かない。

岩手日報「風土計」（2013 年 10 月 11 日朝刊）

作業 2 のヒントはこちら

作業 2 のヒントは右よりダウンロードできます。https://osaka-kyoiku-tosho.net/pdf/appendix15.pdf

作業 1・2 の解答例／解説はこちら

解答例／解説は右よりダウンロードできます。https://osaka-kyoiku-tosho.net/pdf/appendix16.pdf

第三節　客観的なデータを活用する

理科系の論文・レポートでは、実験・観察・観測の結果得られた客観的なデータが多く用いられています。文科系でも、調査・アンケートなど客観的なデータが用いられる機会が少なくありません。

入試でも、「図表から読み取ったことを述べなさい」という問題が出題されることがありますが、客観的なデータの「読み取り」とはどのようなことをすればよいのでしょうか。

下の視聴率ランキングを基に考えてみましょう。A・B・Cさんの読み取り（p.60）はどのように異なっているでしょうか。

表　2020 年 2 月 24 日～ 3 月 1 日のテレビ視聴率上位番組

	番組名	ジャンル	放送局	放送日	放送開始	番組平均世帯視聴率（%）
1	ＮＨＫニュース７	報	ＮＨＫ総合	29(土)	19:00	21.3
2	首都圏ニュース８４５	報	ＮＨＫ総合	28(金)	20:45	20.2
3	報道ステーション	報	テレビ朝日	27(木)	21:54	20.0
4	連続テレビ小説・スカーレット	ド	ＮＨＫ総合	26(水)	8:00	19.7
5	ポツンと一軒家	他	テレビ朝日	01(日)	19:58	18.8
6	新・情報７ｄａｙｓニュースキャスター	教	ＴＢＳ	29(土)	22:00	18.5
7	ニュース６４５	報	ＮＨＫ総合	29(土)	18:45	17.7
8	真相報道バンキシャ！	教	日本テレビ	01(日)	18:00	16.9
9	ｎｅｗｓ ｅｖｅｒｙ．・第３部	報	日本テレビ	24(月)	17:53	16.8
10	ニュースウオッチ９	報	ＮＨＫ総合	28(金)	21:00	16.6
11	ブラタモリ	他	ＮＨＫ総合	29(土)	19:30	16.5
11	笑点	他	日本テレビ	01(日)	17:30	16.5
13	ニュース	報	ＮＨＫ総合	29(土)	18:00	16.4
14	サンデーモーニング	教	ＴＢＳ	01(日)	8:00	16.3
15	ニュース・気象情報	報	ＮＨＫ総合	01(日)	20:45	15.3
16	チコちゃんに叱られる！	他	ＮＨＫ総合	28(金)	20:00	15.2
17	麒麟がくる	ド	ＮＨＫ総合	01(日)	20:00	15.0
17	ナニコレ珍百景	他	テレビ朝日	01(日)	19:00	15.0
17	世界の果てまでイッテＱ！	他	日本テレビ	01(日)	19:58	15.0
20	首都圏情報ネタドリ！	教	ＮＨＫ総合	28(金)	19:33	14.7

報：報道　　教：教育・教養・実用　　ド：ドラマ
他：その他の娯楽番組（音楽・アニメを含まない）

・関東地区平均世帯視聴率。

・対象は 15 分以上の番組。

・ビデオリサーチオフィシャルウェブサイト（http://www.videor.co.jp/index.htm）のデータ（関東地区）を基に独自作成。

・レギュラー番組で、同一局の同一番組名のものが２番組以上ある場合には最も高い視聴率データのみを掲載しています。この際に、同率が複数日ある場合には、ひとつの番組として扱い、当該曜日をすべて併記します。ただし再放送は本放送とは別扱いにしています。
・標本調査によるものであり、統計上の誤差をともないます。
・無断転載を禁止します。

本節のワンポイント 「直接の読み取り」と「解釈」を区別する

まず、Ａさんのコメントを見てみましょう。「NHKへの信頼が厚い」という判断の根拠は表のどこにあるのでしょうか。コメントからは不明です。

一方、Ｂさんのコメントは「日曜日の夕方から夜にかけてチャンネルを変えずにみている人が多いのではないか」という推論を行っており、その根拠として「日曜日の夕方から夜にかけての日本テレビの番組が３つ入っている」ことを挙げています。このように、表から**直接読み取れること**（誰もが否定できない「事実の記述」）と、それに対する**自分自**

身の解釈（「意見の記述」）がそろっていて初めて、データを十分に活用できているといえるのです。Ａさんは、「報道番組が８つ入っていて、その大半がＮＨＫのニュースだ」など、表から直接読み取ったことを述べることによって、説得力を高めることができるのです。

残るＣさんは、表から直接読み取った事実だけで本人の解釈はありません。

ところが困ったことに、実際の入試問題の「読み取り問題」では、Ａ･Ｂ･Ｃさんのうち、どのタイプの「読み取り」が要求されているのか、判然としない出題も少なくありません。「直接の読み取り」が求められているのか、「解釈」が求められているのか、それとも両方が求められているのか、設問文をていねいに読み取ってください。それでも判断がつかないときは、Ｂさんのように、**「直接の読み取り」と「解釈」とをしっかり区別**して記述するしかないでしょう。

復習ミニワーク

【作業３】次の資料は、訪日外国人旅行者数の推移を示したものです。

① グラフから直接読み取れることを下の表に記入しなさい。

② グラフの下に示した出来事を参考に、①の解釈（原因・背景など）を記入しなさい。

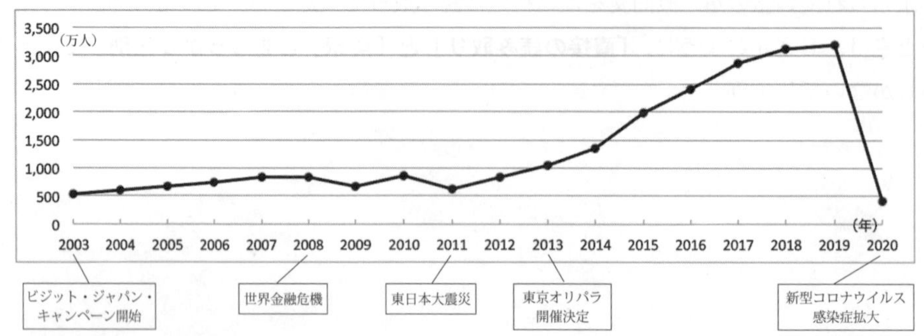

観光庁『令和２年版観光白書』『令和３年版観光白書』のデータを基に作成。

資料から直接読み取れること	解釈
	⇒
	⇒
	⇒

解答例／解説はこちら

解答例／解説は右よりダウンロードできます。https://osaka-kyoiku-tosho.net/pdf/appendix17.pdf

第 6 章

文章表現を整える！

本章では、無駄な表現を省きながら文章を整えていく方法を学んでいきましょう。

第４章では、意見文の「基本セット」の根拠を深めていくことによって、文章量がふくらみ説得力も高まっていくことを解説しました。文章全体の骨組みに沿った肉付けの大切さに気づいてくださったのではないでしょうか。しかし、文章の骨組みとは直接関係のない無駄な表現が多く書き込まれていて読みにくい、あるいは説得力を欠いている文章に出会うことも少なくありません。

では、「無駄な表現」とは具体的にどのようなものでしょうか。次の課題とその答案を読んで、「無駄な表現」だと思われる箇所に下線を引いてみましょう。

【課題】 近年、保育所の新設計画が子どもたちの発する声などを理由とした地域住民の反対で停滞する事例が多く見られます。この問題についてのあなたの考えを600字以内で述べなさい。

【答案】

保育所の新設に伴う騒音問題について改めて考えてみたい。ニュースを見ていると、近年、保育所に限らず、施設から日常的に聞こえてくる声や、除夜の鐘や盆踊りなどの行事・イベントに伴って生じる音に対して、近隣住民が拒否反応を示してトラブルになる事例が多いようである。

子どもたちがはしゃいで大声を出すのはごく自然なことであり、子どもたちのにぎやかな声を聞くと元気が出る、という人も少なくないと思う。そもそも、子ども時代はだれにでもあったはずで、そのことを思い出せば寛容になれるのではないかと思う。それにもかかわらず、なぜ保育所新設への反対が起こるのかと思う。今後もこのような状況が続くのであれば、将来、私自身が子育てをすることになったとき、子どもを安心して預けることのできる保育所が身近な地域に確保されているのか、不安でならない。口先では「子どもは社会の宝」などと言いながら、子どもたちの育成に伴う少々の不利益を自分は受け入れない、というダブルスタンダードは、はっきり言って社会の発展の障害であると思う。

とにかく強調しておきたいことは、こうした状況をこのまま放置していてはいけない、ということである。保育所への入所待ちをしている保護者たちにとっては、死活問題であると思う。関係者は早急に対策をとるべきだと思う。

本章のポイント ① 「当たり前」のことをわざわざ述べない

「あなたの考えを述べなさい」という課題に対する答案は、当然、「意見文」でなければなりません。しかし、p.64 の答案には、「意見文」としての骨組みに関係のない、無駄な表現が多数含まれています。

まず、冒頭の「保育所新設に伴う騒音問題について改めて考えてみたい」。改めて考えてほしいからこそ、出題者はテーマとしているのです。自分自身でテーマを設定したのであれば必要ですが、ここであえて書き込む必要はありません。ほかに、「このような問題について、考えてみたこともなかった」などと書く人もいますが、これも不要です。考えたことがなければ、この場でしっかり考えれば、それでよいのです。受け取りようによっては言い訳がましくも感じられます。

直後の「ニュースを見ていると」も不要です。ここに挙げられているトラブルの事例をすべて直接目にすることのできる人は、なかなかいないでしょう。ニュースから得た情報であることは明白です。

次に、第二段落最後の文の「はっきり言って」。意見文では、どの部分も「はっきり」述べなければなりません。たまに「私に言わせるならば」などと書く人もいますが、そもそも意見文とは自分の意見を述べるものなのですから、これも無駄です。第三段落の「とにかく強調しておきたいことは」も不要です。わざわざこのように断らなくても、**多くの読み手は最終段落に重要な内容があるはずだ、という予見を持っている**と考えられるからです。

この答案は、当たり前のことが多く書かれている反面、肝心の「基本セット」が十分に深められていません。たとえば、「なぜ子どもの声に寛容になれないのか」という原因分析がありませんね。また、「早急に対策をとるべきだ」という主張も、とるべき具体的な対策が不明なので説得力がありません。

この課題のように**字数が限られている場合はとくに、当たり前のことをわざわざ書き込む必要はない**のです。当たり前の内容はできるだけ省いて、主張やその根拠を充実させなければなりません。

【p.65 で指摘した無駄な表現を省いた答案】

~~保育所の新設に伴う騒音問題について改めて考えてみたい。ニュースを見ていると、~~近年、保育所に限らず、施設から日常的に聞こえてくる声や、除夜の鐘や盆踊りなどの行事・イベントに伴って生じる音に対して、近隣住民が拒否反応を示してトラブルになる事例が多いようである。

子どもたちがはしゃいで大声を出すのはごく自然なことであり、子どもたちのにぎやかな声を聞くと元気が出る、という人も少なくないと思う。そもそも、子ども時代はだれにでもあったはずで、そのことを思い出せば寛容になれるのではないかと思う。それにもかかわらず、なぜ保育所新設への反対が起こるのかと思う。今後もこのような状況が続くのであれば、将来、私自身が子育てをすることになったとき、子どもを安心して預けることのできる保育所が身近な地域に確保されているのか、不安でならない。口先では「子どもは社会の宝」などと言いながら、子どもたちの育成に伴う少々の不利益を自分は受け入れない、というダブルスタンダードは、~~はっきり言って~~社会の発展の障害であると思う。

~~とにかく強調しておきたいことは、~~こうした状況をこのまま放置していてはいけない~~、ということである~~。保育所への入所待ちをしている保護者たちにとっては、死活問題であると思う。関係者は早急に対策をとるべきだと思う。

本章のポイント② 「『思う』『思います』禁止令」の意図

p.64の答案には、「当たり前のこと」についての記述のほかにも気になることがあります。

全体を通して、文末表現として「思う」が多くありませんか。「思う」を使うと、どことなくソフトな雰囲気が醸しだされます。しかし、**「思う」には「意見」よりも「感想」や「心情」のニュアンスが強く、論理的な文章にはふさわしくありません。**しっかりとした根拠を挙げながら、**「である」「です」などと言い切ってこそ、論理的な文章にふさわしい、シャープな切れ味が出てくる**のです。

このような考えから、筆者はかつて講義を受け持った学生たちに対して、「思う」「思います」の使用を禁じました。しかし、「『思う』『思います』禁止令」は、学生たちにとっては予想以上に厳しかったようです。ついつい「思う」を使ってしまうのだと訴える学生、「思う」も「考える」も実質的には同じじゃないかと食い下がる学生、さまざまな反応が見られました。

実は筆者自身、600字の文章の中で1回ぐらい、「思う」「思います」を使っても構わないと考えます。自分の書く文章について、誠実であろうとすればするほど、100%の確信をもてない事柄については、断言を避けたいこともあるでしょう。そのようなとき、やむを得ず使ってしまうことはいたし方ありません。また、「思う」を使うことによって、その文があくまでも主観に過ぎないことを強調する効果が生まれてくることもあります。

しかし、あえて使用を禁じることによって、学生一人ひとりが自分の文末表現のあり方に自覚的になってくれることを期待したのでした。

ところで、多くの指導者が、論理的な文章においては「です」「ます」調の文末表現よりも「である」調の文末表現を薦めているようです。基本的には筆者も賛成です。ただし、志望理由書のような文書の場合は、ソフトな印象を与える「です」「ます」調の方がふさわしいという考え方もあります。

コラム

「海ぶどう」と文章表現

「海ぶどう」という食べ物があります。海ぶどうは、「くびれつた」という海藻の一種です。キャビアのような粒々の食感、豊富な栄養から人気商品となっているようです。私の海ぶどうとの初めての出会いは、数年前、義理の両親が沖縄旅行のお土産として買ってきてくれた塩蔵品でした。ところが、そのパッケージの説明書きがとんだ代物……いえ、恰好の教材だったのです▶塩蔵の海ぶどうを水洗いして塩抜きをして、あとは水切りをするだけなのですが、説明文がひどく分かりにくいのです。まず、項目が整理されていません。つくり方と注意事項（水温など）が混在しているのです。また、「粘性で流動性が低く、浸透の遅い調味料」で食するよう推奨されているのですが、どうしてこんな仰々しい表現をするのでしょうか。「ぽん酢よりも、ごまドレッシングが合います」ではいけないのでしょうか。しかも、「～してはいけません」といった類の否定的な表現が多く、やる気をそがれてしまいます▶いつか本書をおみやげに沖縄の販売元を訪ね、説明書の改訂を提案してみましょうか。ちなみに塩蔵海ぶどうそのものは大変美味だったことを、メーカーさんの名誉のために付け加えておきます。

第7章

実践課題編

本章では、第6章までに学んだことを生かして四つの実践課題に挑戦してみましょう。そして、自分の答案や答案例の検討を通して、よりよい答案に仕上げていきましょう。

本章での学び方

課題Ａ～Ｄに取り組み、次のサイクルで学んでいきましょう！

STEP1　課題に挑戦しよう！

できるだけ実際に答案を作成してみましょう。本書ではポイントをつかんでいただくことを目的としていますので、とくに制限時間は設けません。新聞や書籍、インターネットなどを参照してもかまいません。納得いく答案を作成してください。

STEP 2　答案を読んでみよう！

各課題について、ショウタくん・アイさん２名の答案例を準備しました。あなたが書いた答案とも比較しながら、気づいたことを自由に記入してください。空欄部分を使ってもかまいませんし、答案部分に直接コメントを入れてもかまいません（p.71 の記入例参照）。

この段階では解説を読まずに、あなたが感じたままを記入してください。

STEP 3　ポイントを確認しよう！

「評価基準と解説」では、各課題の評価基準に沿って満たすべきポイントを説明しています。これらのポイントを確認しながら、あなた自身の答案の内容を振り返りましょう。

STEP 4　答案を再確認しよう！

ショウタくん・アイさんの答案への出題者（筆者）からのコメントを入れています。STEP 2でのあなたのコメントと比較しながら読んでください。また、参考までに評価基準に沿った評価をレーダーチャートで示しています。どちらがバランスのとれた答案か、確認しましょう。

STEP 5　答案を書き直そう！

以上の学びを踏まえて、あなた自身の答案を書き直しましょう。一つの定まった答えはありません。書き直すたびにあなたの答案の説得力は高まっていくことでしょう。

〔答案例へのコメント記入例〕

アイさんの答案

普段私たちは何気なく食べ物を口にしているが、それがどこの国で作られたものなのかをあまり考えたりはしない。では日本で作られているものはどのぐらいあるのだろうか。

米・鶏卵・砂糖類以外の食料の自給率は年々下がっている。また、日本人の食生活における米・畜産物・油脂類の割合が増加している。つまり、日本人の食生活が欧米化してきたことにより、国内でほぼ自給できる米の消費が落ちる一方で、自給率の低い肉類・油脂類の消費が増えてきた。このままの食生活を続けていくと、次のような問題が考えられる。

これまで日本に食料を輸出してきた国が天候不順や災害、政情不安定によってある日突然輸出が出来なくなるかもしれない。また、肉類や油脂類を多く取るのは健康面で考えてもあまり好ましいことではない。では具体的にどのようにすればよいのか。

米を中心として、肉や油脂を控えめに野菜たっぷりの食事をこころがける。そして食べ物を余らせない、捨てない。また、食料生産に余分なエネルギーを使わないために、その季節の旬の食べ物を取る。そうすることによって、結果的に生産コストを落とすことが可能になり、輸入食品に頼らずに自給率を上げることができる。それに加えて健康面でも好ましい食生活になれば一石二鳥である。

たしかに！

裏付けとなるデータがほしい

なぜだろう？

どういう問題がある？

そううまくいくだろうか？

全体を通して気づいたこと

＊構成がしっかりしている
＊具体的に提案することができている

課題A

この課題は説明文の作成です。あなたが悔しい思いをした出来事のなかから印象深いものを一つ選び、客観的に紹介しなさい。(400 字以内)。

答案を読んでみよう！

ショウタくんの答案

中学のとき陸上部で跳躍競技をしていた。一番成績が良かったときは県大会で 2 位だった。 1 位の選手との記録差は 5 センチ。そして身長差は 15 センチだった。そのときの僕の正直な気持ちは「オレの身長がコイツと同じだったらもっと遠く飛べたはず」というもの。とにかく負けず嫌いの僕は、最高記録を出した喜びを忘れ、妙な敗北感と悔しさに襲われた。昔からいろいろなスポーツを経験してきたのだが、いつも悔しい思いをさせられてきたのが身長による記録の限界である。何がほしいかと尋ねられたとしたら、即答するのは「身長」という言葉だろう。でも、冷静に考えてみると、僕は身長が低いことを言い訳にして、自分の本当の限界にたどりつくことなく退散してきたのかもしれない。確かに身長による限界はあるが、低い身長をものともせず活躍しているプロはたくさんいるのに……。

全体を通して気づいたこと

アイさんの答案

小学校５年生の時だった。いつも一緒に登校するＭちゃんが突然、「今日からあなたとは話をしない」と絶交宣言したのだ。「私」は訳も分からず、戸惑うばかりだった。その絶交宣言の前日、学校でＭちゃんが「私」を見かけ手を振ったにもかかわらず、「私」は素知らぬ顔で通り過ぎた。Ｍちゃんは無視されたと泣きながら心に決めた。絶交だ、と。

一方、「私」はその訳の分からぬ絶交宣言で、その日一日寂しさと悔しさで泣きながら過ごした。その次の日も。でも、このままでは納得いかないと、無視を続けるＭちゃんを呼び出し、理由を問い詰めた。Ｍちゃんは最初のうちは、無視したのはそっちのくせに……という思いから、理由を話すのを拒んだが、やがて泣きながら言った。「手を振ったのに」と。

その理由を聞いてびっくりした「私」は思った。そうか、私、見えてなかったんだ。当時の「私」は、視力が 0.2 くらいなのに授業中以外はメガネを外していたのだ。お互い悔しい思いを抱えた数日が、笑い合って幕を閉じた。

全体を通して気づいたこと

課題Ａ　評価基準と解説

本課題では、「構成系」「表現系」「表記系」の３項目について、それぞれ３段階（Ａ：よくできている、Ｂ：ある程度できている、Ｃ：努力が必要）で評価することとします。

構成系

主な観点は、次の２点です。

① 各文が適切に配列されているか
② 内容のバランスはとれているか

これらが**いずれもできていればＡ、いずれも不十分であればＣ、その他の場合はＢ**とします。なお、本課題では「印象深いものを一つ」と指定されています。二つ以上の出来事を盛り込んでいる答案はＣとします（試験であれば大幅な減点の可能性があります）。

① 各文が適切に配列されているか

「悔しい思いをした出来事」を時間の経過に沿って紹介していくのが一般的でしょう。第２章で説明したように、段落分けをすることによって、各文の配列の意図をより明確に伝えることができます。

② 内容のバランスはとれているか

たとえば対人関係にまつわる出来事を紹介する場合、あなた自身の行動と相手方の行動が過不足無く記述されていなければなりません。

表現系

主な観点は、次の４点です。

① 客観的に表現されているか
② 読み手に配慮した表現ができているか
③ 誤った表現はないか
④ 無駄な表現はないか

これらが**いずれもできていればＡ、２点以上不十分であればＣ、その他の場合はＢ**とします。

① 客観的に表現されているか

本課題は説明文の作成であり、「客観的に」と指示されていますから、できるだけ「意見の記述」を交えず客観的に記述しなければなりません。

② 読み手に配慮した表現ができているか

本課題では読み手の属性が紹介されていませんが、悔しい思いをするに至った状況をできるだけ多くの読み手が理解できるよう、ていねいに説明しなければなりません。不用意に専門語を使ったりしていないでしょうか。

③ 誤った表現はないか

主語と述語の対応関係や慣用句の用法など、誤っていないでしょうか。

④ 無駄な表現はないか

第6章で紹介したように、「当たり前のこと」をわざわざ書き込んでいないでしょうか。

表記系

主な観点は、次の3点です。

① 誤字・脱字、漢字で書くべき語のかな書きはないか
② 字数は過不足ないか
③ 原稿用紙の使い方のルールを守っているか

これらが**いずれもできていればA、2点以上不十分であればC、その他の場合はB**とします。

「400字以内」という指定を守っているでしょうか。守っていても分量が少なすぎないでしょうか。制限字数の8割（320字）は埋めたいところです。

半分（200字）を満たしていない場合、あるいは制限字数を1字でもオーバーしている場合は、試験では大幅に減点される可能性があります。

以上の基準を踏まえて、p.76〜79で二人の答案を評価しました。あなたが、p.72・73で入れたコメントと私のコメントを比較しながら読んでください。

ショウタくんの課題Ａ答案へのコメント

中学のとき陸上部で①跳躍競技をしていた。一番成績が良かったときは県大会で２位だった。１位の選手との記録差は５センチ。そして身長差は 15 センチだった。そのときの僕の正直な気持ちは「オレの身長がコイツと同じだったらもっと遠く飛べたはず」というもの。とにかく負けず嫌いの僕は、最高記録を出した喜びを忘れ、妙な敗北感と悔しさに襲われた。昔から②いろいろなスポーツを経験してきたのだが、いつも悔しい思いをさせられてきたのが身長による記録の限界である。何がほしいかと尋ねられたとしたら、即答するのは「身長」という言葉だろう。でも、冷静に考えてみると、僕は身長が低いことを言い訳にして、自分の本当の限界にたどりつくことなく退散してきたのかもしれない。確かに身長による限界はあるが、低い身長をものともせず活躍しているプロはたくさんいるのに……。

走り幅跳び？
棒高跳び？
立ち幅跳び？

意味のまとまりが可視化されていない

どんなスポーツ？

不要な記述では？

第7章
実践課題編

ショウタくんの答案はしっかりと構成されているのですが、構成が**可視化**されていないので読み手にはよく伝わりません。次の三段落に分けられるはずです。

Ⅰ　中学のときの県大会での出来事
Ⅱ　記録の限界と身長
Ⅲ　自分の思考様式への批判

しかし、第三段落に該当する部分は、悔しい思いの背景にあるショウタくんの思考様式（身長が足りないから負けた）を自己批判する「意見の記述」となっています。「あなたが悔しい思いをした出来事のなかから印象深いものを一つ選び、客観的に紹介しなさい」という課題Aの要求からは、完全に外れてしまっているのです。要求から外れた内容が文章全体の最後に置かれていると、ますます印象が悪くなってしまいます。

第二段落については、まったく不要とは言い切れません。第一段落の出来事がなぜ「悔しい」のか、過去からの悔しさの積み重ねを強調することで補足する役割を果たしているからです。

「跳躍競技」（下線部①）は何を指すのでしょう。「『もっと遠く飛べたはず』とあるんだから棒高跳びじゃないに決まってるだろう」「立ち幅跳びの大会なんて一般的じゃないよ」という姿勢は、専門外の読み手への配慮に欠けています。

「いろいろなスポーツ」(下線部②) も具体例を知りたいところです。バスケットやバレーのように長身の選手が多い競技とそうでない競技とでは、読み手に与える説得力が異なってくるでしょう。

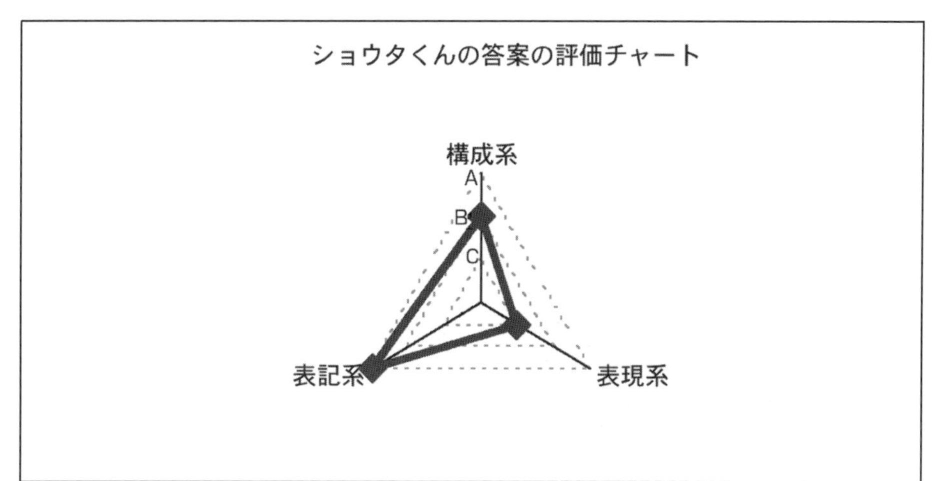

アイさんの課題A答案へのコメント

①小学校5年生の時だった。いつも一緒に登校するMちゃんが突然、「今日からあなたとは話をしない」と絶交宣言したのだ。「私」は訳も分からず、戸惑うばかりだった。②その絶交宣言の前日、学校でMちゃんが「私」を見かけ手を振ったにもかかわらず、「私」は素知らぬ顔で通り過ぎた。Mちゃんは無視されたと泣きながら心に決めた。絶交だ、と。

一方、「私」はその訳の分からぬ絶交宣言で、その日一日寂しさと悔しさで泣きながら過ごした。その次の日も。でも、このままでは納得いかないと、無視を続けるMちゃんを呼び出し、理由を問い詰めた。Mちゃんは最初のうちは、無視したのはそっちのくせに……という思いから、理由を話すのを拒んだが、やがて泣きながら言った。③「手を振ったのに」と。

その理由を聞いてびっくりした「私」は思った。そうか、私、見えてなかったんだ。当時の「私」は、視力が0.2くらいなのに授業中以外はメガネを外していたのだ。④お互い悔しい思いを抱えた数日が、笑い合って幕を閉じた。

ショッキングな導入！

内容が重複している

無駄な表現が含まれていないか？

Mちゃんの心情はあくまで推測では？

アイさんの答案は、「Mちゃんからの絶交宣言」というショッキングな出来事を冒頭でいきなり提示して読み手を引き付け（下線部①）、その後の「私」の行動や絶交宣言の謎解きを手馴れた筆致で展開しています。

しかし、重大な**内容重複**があります。アイさんは第二段落において、「私」がMちゃんを問い詰め「手を振ったのに無視された」という真相（下線部③）が明らかになるという、緊迫感あふれる場面を描こうとしたはずです。しかし、すでに第一段落（下線部②）で「ネタばれ」してしまっているのです。この答案が制限字数（400字以内）をオーバーしていることも考えあわせると、推敲（すいこう）不足がもたらした、大変もったいないミスであると言わざるをえません。

下線部④については、なぜMちゃんも「悔しい思いを抱えた」と言えるのか疑問が残ります。Mちゃんが抱えていた感情は、怒りだったかもしれませんし、悲しみだったかもしれません。このままではアイさんの推測（意見の記述）に過ぎません。

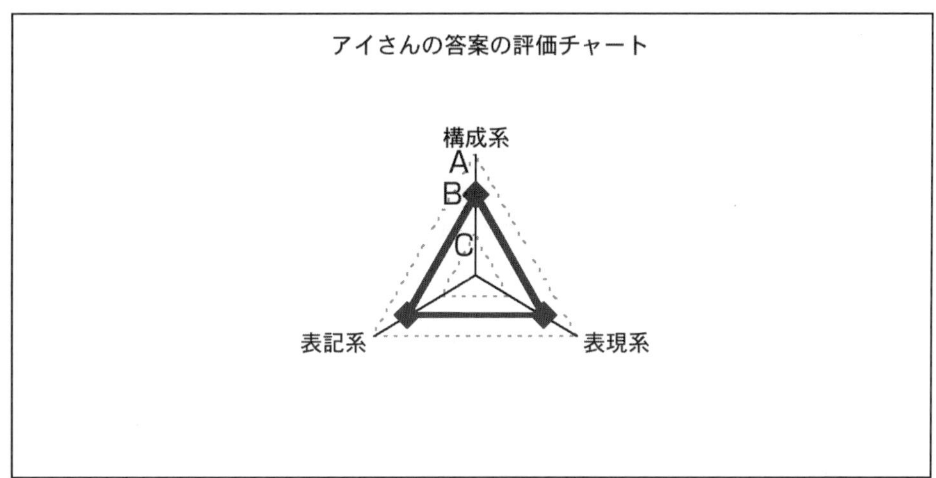

課題 B

この問いは意見文の作成です。日本の民法を改正し右のような選択的夫婦別姓を導入することに賛成ですか、それとも反対ですか。あなたの考えを述べなさい（600 字以内）。

答案を読んでみよう！

アイさんの答案

現在の日本の法律では、結婚すると妻は夫の姓を名乗らなければなりません。私が結婚するときには、「御手洗（みたらい）」の姓を捨てなければならなくなるのです。小学生のころは「おてあらい」とからかわれて、やな感じだったこともあるのですが、歴史的な由来や全国でも珍しい姓であるという事実を知るにつれて姓への愛着が深まり、「御手洗アイ」という氏名は私そのものだという一体感を抱くようになりました。珍しい姓に限らなくても、このように考えている人が大多数のはずです。夫婦二人で同じ姓を名乗りたいけれど、どちらか一方の姓にそろえるのは不公平でいやだ、という夫婦には、二人で話し合って新しい姓を作るという方法も考えられるのではないでしょうか。

そうは言っても、職場で旧姓を使うことはすでに広く認められているのだから、わざわざ法律で定めるほどのことではないという意見の人もいるかもしれません。しかし、国がはっきりと法律を定めることによって、人びとの意識を変えていかなければならないと思います。しかし、形だけ制度を作ったとしても、一人ひとりが何のための制度なのであるかということを自覚していなければ何も変わらないかもしれません。まずは、当事者である結婚する男女同士でしっかりと考えることが、大切な第一歩になると思います。

全体を通して気づいたこと

●結婚を届ける際、夫婦は①・②のいずれかを選ぶ

① 夫か妻いずれか一方の姓（氏、名字）を名乗る（→夫婦同姓）

② 夫も妻も、それまでに名乗ってきた姓をそれぞれ用いる（→夫婦別姓）

●②を選択した夫婦は夫・妻どちらの姓を子どもに名乗らせるか、結婚時に届け出る

ショウタくんの答案

2015 年 12 月、最高裁判所は夫婦同姓を合憲としつつ、選択的夫婦別姓の導入についての議論を国会に促した。夫婦別姓は、フランスやドイツなどのヨーロッパ諸国で多く取り入れられ、アジアでも中国や韓国に見られる。

しかし、私は選択的夫婦別姓の導入に反対である。なぜなら、夫婦別姓は家族のきずなを弱めてしまう危険性がきわめて高いからである。

近年、家族のあり方の変容を感じさせる事件が多い。親が幼い子どもに対して普通では考えられないような虐待を加えたり、ささいな理由で子が親を殺害したりといった凄惨な事件が、毎日のように報じられている。そこまでには至らなくても、家族全員が食卓を囲む機会はほとんどなく家族同士の会話も挨拶程度、という家庭もけっして珍しくないというのが、現代の日本の家族をめぐる現状である。もし、選択的夫婦別姓が導入されたならば、こうした傾向にますます拍車がかかるのではないだろうか。

確かに女系家族の場合、姉妹が全員結婚して嫁ぎ先の姓に変わると家系が途絶える、という問題がある。しかし、現在の民法でも妻の姓に統一することはできるのだから、導入の決定的根拠にはならない。

このような馬鹿げた制度の導入は不要である。パスポートや運転免許証などにおいて、夫婦同姓では結婚までに使ってきた姓で新たに取得できないなど不便があるのは確かだが、それは何か別の方法によって解決するべきである。

全体を通して気づいたこと

課題B　評価基準と解説

本課題では、「論理系」「知識系」「表現系」「表記系」の４項目について、それぞれ３段階（A：よくできている、B：ある程度できている、C：努力が必要）で評価することとします。

論理系

主な観点は、次の３点です。

①　自分の意見とその根拠が明確に述べられているか
②　根拠が十分に深められているか
③　適切に構成されているか

これらが**すべてできていればA、２つ以上不十分であればC、その他の場合はB**とします。

①　自分の主張とその根拠が明確に述べられているか

意見文としての「基本セット」は備わっているでしょうか。本課題では、「（選択的夫婦別姓を導入することに）賛成ですか。それとも反対ですか」と問いかけられていますから、賛否があいまいであってはいけません。

なお、民法の改正は公共の事柄ですから、自分自身にとっての都合だけを基準に賛否を判断しても、本課題の要求に応えたことにはなりません。

②　根拠が十分に深められているか

本課題のテーマは「選択的夫婦別姓」ですが、根拠を十分に深めて説得力を高めるためには、さらに根本的な疑問に答える必要があります。

＊そもそも姓（氏、名字）は何のためにあるのか

＊そもそも夫婦、結婚とは何なのか

夫婦は深い愛情で結ばれている――はずですが、打算的な夫婦が存在するのも現実です。そもそも結婚とは何か、という問題でもあります。籍を入れない「事実婚」もあります。

＊そもそも家族とは何なのか

夫婦は最小単位の家族です。では、どこまでの範囲の人々を「家族」と呼ぶことができるのでしょうか。そもそも家族にはどのような機能があるのでしょうか。

＊そもそも民法とはどのようなものなのか

民法は、国会で制定され改正されてきた法律です。日本国憲法に反してはなりません。

これらの疑問はあくまでも例示に過ぎませんが、「家族論」「法のあり方」といった、いわば「**隠れた大テーマ**」にかかわる疑問です。隠れた大テーマを見出すことができるかどうかが、根拠を深める重要な鍵となります。

本課題は、賛否両論に二分されやすい論争的テーマですから、導入に賛成の立場なら反対の意見を、反対の立場なら賛成の意見を取り上げて反駁（第４章参照）を行うと、さらに説得力が高まります。

③ 適切に構成されているか

それぞれの文が論理的な思考の筋道にそって配列され、意味のまとまりが段落によって**「可視化」**されているでしょうか。

第３章で紹介した、**序論・本論・結論**の三部構成を踏まえると、次のようなアウトライン（概要）を描くことができます。

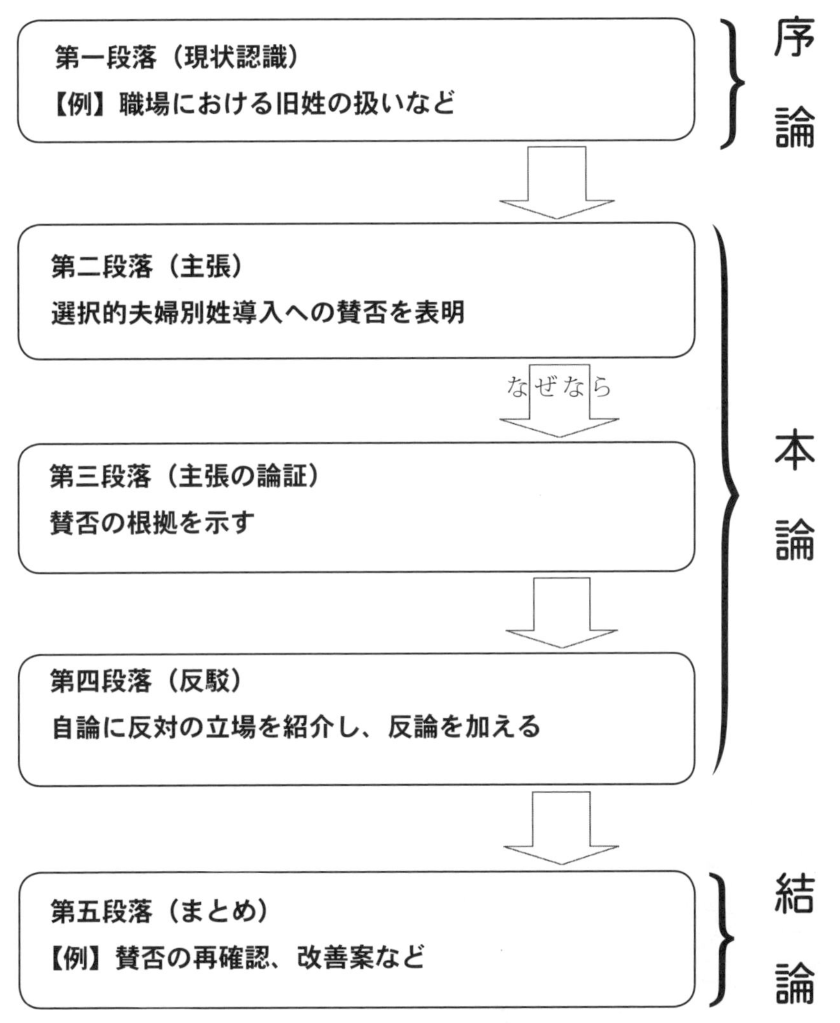

ただし、本課題は字数が最大600字と少な目です。すべてを無理に盛り込もうとするあまり根拠が十分に深められなければ、それは本末転倒というものです。本課題の場合、p.29で示したような序論に必ずしもこだわる必要はないでしょう。一般の論文において序論は、テーマを選んだ動機や背景などを述べる部分ですが、本課題ではテーマが与えられていますし、民法の改正案はすでに設問文の中で提示されているからです。

知識系

主な観点は、次の2点です。

① 背景知識は十分か
② 事実関係は正しいか

これらが**いずれもできていればA、いずれも不十分であればC、その他の場合はB**とします。

① 背景知識は十分か

本課題のテーマに関する事柄（夫婦別姓による職業上・手続き上の問題、すでに夫婦別姓を導入している諸外国の状況など）について、日ごろから高い関心を持っていれば、豊富な知識で根拠を具体化し、深めることができます。

② 事実関係は正しいか

客観的な事実を使って根拠を深めることができれば、説得力はさらに高まります。しかし、その「事実の記述」は正確さが求められます。

表現系

主な観点は、次の２点です。

① 誤った表現はないか
② 無駄な表現はないか

これらが**いずれもできていればＡ、いずれも不十分であればＣ、その他の場合はＢ**とします。

詳細は、課題Ａの解説（p.74・75）を参照してください。

表記系

主な観点は、次の３点です。

① 誤字・脱字、漢字で書くべき語のかな書きはないか
② 字数は過不足ないか
③ 原稿用紙の使い方のルールを守っているか

これらが**いずれもできていればＡ、２点以上不十分であればＣ、その他の場合はＢ**とします。

「600字以内」という指定を守っているでしょうか。守っていても分量が少なすぎないでしょうか。制限字数の８割（480字）は埋めたいところです。

半分（300字）を満たしていない場合、あるいは制限字数を１字でもオーバーしている場合は、試験では大幅に減点される可能性があります。

以上の基準を踏まえて、p.86～89で二人の答案を評価しました。あなたが、p.80・81で入れたコメントと私のコメントを比較しながら読んでください。

アイさんの課題B答案へのコメント

①現在の日本の法律では、結婚すると妻は夫の姓を名乗らなければなりません。私が結婚するときには、「御手洗（みたらい）」の姓を捨てなければならなくなるのです。小学生のころは「おてあらい」とからかわれて、やな感じだったこともあるのですが、歴史的な由来や全国でも珍しい姓であるという事実を知るにつれて姓への愛着が深まり、「御手洗アイ」という氏名は私そのものだという一体感を抱くようになりました。珍しい姓に限らなくても、②このように考えている人が大多数のはずです。夫婦二人で同じ姓を名乗りたいけれど、どちらか一方の姓にそろえるのは不公平でいやだ、という夫婦には、二人で話し合って新しい姓を作るという方法も考えられるのではないでしょうか。

そうは言っても、職場で旧姓を使うことはすでに広く認められているのだから、わざわざ法律で定めるほどのことではないという意見の人もいるかもしれません。しかし、③国がはっきりと法律を定めることによって、人びとの意識を変えていかなければならないと思います。しかし、④形だけ制度を作ったとしても、一人ひとりが何のための制度なのであるかということを自覚していなければ何も変わらないかもしれません。まずは、⑤当事者である結婚する男女同士でしっかりと考えることが、大切な第一歩になると思います。

そうだろうか？

これは話し言葉！

自分自身の問題として真剣に考えていることが伝わってくる

そう言い切ることのできる根拠は？

アイデアとしてはおもしろい

選択的夫婦別姓の制度導入に対する肯定的評価と否定的評価が無造作に併置されている

男女で何を考える？

アイさんは、第一段落で多くの字数を割いて自分自身の境遇を紹介しながら、夫婦同姓が抱える問題点や氏名のアイデンティティとしての側面について訴えています。アイさんが選択的夫婦別姓導入を自分自身の問題として真剣に考えていることをうかがわせます。

しかし、アイさんは選択的夫婦別姓の導入に賛成なのか反対なのか、はっきりしません。**意見文の「基本セット」**（第３章参照）が明確に示されていないので、文章全体から判断するほかありません。

第一段落だけを読むと賛成のようです。ところが最後まで読むと反対のようにも受け取れます。「あなたは賛成ですか。反対ですか」という問いに対する答案としては不十分です。第二段落では「アナウンス効果」とでもいうべき制度導入の利点を示している（下線部③）にも関わらず、制度の導入そのものを直後で否定してしまっています（下線部④）。これには矛盾を感じざるを得ません。

なお、第一段落冒頭の記述は正確ではありません（下線部①）。資料持込み禁止のテストでない限り、様々な資料にあたって確認しながら取り組んでほしいところです。また、アイさんと同意見の人が大多数であると言い切れる根拠は何でしょうか（下線部②）。自分自身の境遇や体験から一般論へと展開するためには、慎重な手続きが必要です。**自分自身の境遇や体験をもってそのまま根拠とするのは危険**です。「同じ境遇になってみなければわからない」「体験者にしかわからない」という「壁」をつくることにつながりかねないからです。意見文は、読み手を説き伏せるための武器ではありません。対話のためのメディアなのです。

さらに第二段落では、いったい何を「男女同士でしっかりと考える」のかあいまいです（下線部⑤）。あいまいな文末表現（「思います」「かもしれません」）が繰り返されている点も気になります。

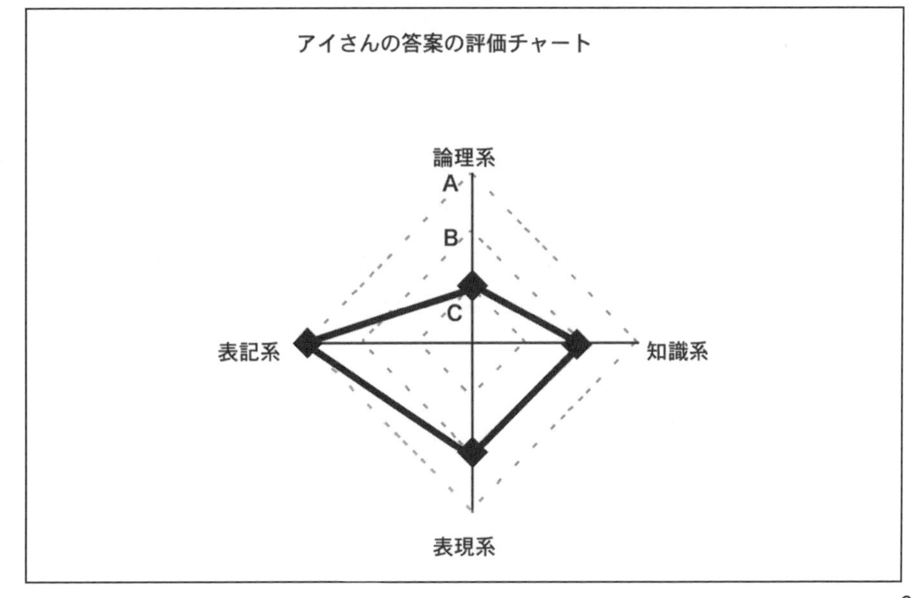

ショウタくんの課題B答案へのコメント

序

2015 年 12 月、最高裁判所は夫婦同姓を合憲としつつ、選択的夫婦別姓の導入についての議論を国会に促した。夫婦別姓は、フランスやドイツなどのヨーロッパ諸国で多く取り入れられ、アジアでも中国や韓国に見られる。

本

しかし、①私は選択的夫婦別姓の導入に反対である。なぜなら、夫婦別姓は家族のきずなを弱めてしまう危険性がきわめて高いからである。

近年、家族のあり方の変容を感じさせる事件が多い。親が幼い子どもに対して普通では考えられないような虐待を加えたり、ささいな理由で子が親を殺害したりといった凄惨な事件が、毎日のように報じられている。そこまでには至らなくても、家族全員が食卓を囲む機会はほとんどなく家族同士の会話も挨拶程度、という家庭もけっして珍しくないというのが、現代の日本の家族をめぐる現状である。もし、②選択的夫婦別姓が導入されたならば、こうした傾向にますます拍車がかかるのではないだろうか。

③確かに女系家族の場合、姉妹が全員結婚して嫁ぎ先の姓に変わると家系が途絶える、という問題がある。しかし、現在の民法でも妻の姓に統一することはできるのだから、導入の決定的根拠にはならない。

結

④このような馬鹿げた制度の導入は不要である。パスポートや運転免許証などにおいて、夫婦同姓では結婚までに使ってきた姓で新たに取得できないなど不便があるのは確かだが、それは⑤何か別の方法によって解決するべきである。

「基本セット」が明確に示されている

家族のあり方をめぐる日本社会の現状について、背景知識の豊かさや問題意識の高さを感じさせる

本当にそう？

反駁が試みられている

攻撃的！提案者を怒らせそう

どんな方法か、具体的に知りたい

ショウタくんの答案は、**序論→本論→結論**の三部構成が明確に可視化されています。

序論では、最高裁の判断や諸外国の事例にも目を向けながら夫婦別姓導入についての現状認識を示すことによって、問題意識の高さをアピールすることができています。ただし、ヨーロッパ諸国と中国・韓国とでは、制度の背景や実態に大きな違いがあるのではないでしょうか。再確認してほしいところです。

本論の冒頭（下線部①）では、「選択的夫婦別姓の導入に反対」という意見と「家族のきずなを弱めてしまう危険性」という根拠が示されており、**意見文の「基本セット」**も明確です。制限字数の３分の１近くを割いて家族のあり方をめぐる現状が示されている点は問題意識の高さを感じさせますし、反駁によって説得力を高めようとしていることもうかがえます（下線部③）。

しかし、下線部①で示された根拠（「家族のきずなを弱めてしまう危険性」）が十分に深められているとは言えません。子どもへの虐待や親殺し、家族間のコミュニケーション不足は夫婦同姓制度の下ですでに起こっている問題です。これらの問題が選択的夫婦別姓の導入によってどのようにして悪化するのか、ていねいな説明が求められます（下線部②）。親子間の摩擦の中には家族のきずなが強すぎるからこそ起こるものもある、という指摘にも耳を傾けるべきでしょう。

結論の冒頭（下線部④）は言い過ぎです。**攻撃ではなく説得**を心がけてほしいところです。言葉の勢いで相手をねじ伏せるのではなく、あくまでも論理で勝負しましょう。下線部⑤の「何か別の方法」とは何でしょうか。具体的な代案なしに他人に「丸投げ」しているかのような印象を与えるのは、得策ではありません。

ところで、アイさん・ショウタくんのいずれの答案にも、両親が夫婦別姓を選んだ場合に子どもに与える影響への言及がなかった点は残念です。**様々な当事者への目配り**を心がけてほしいところです。

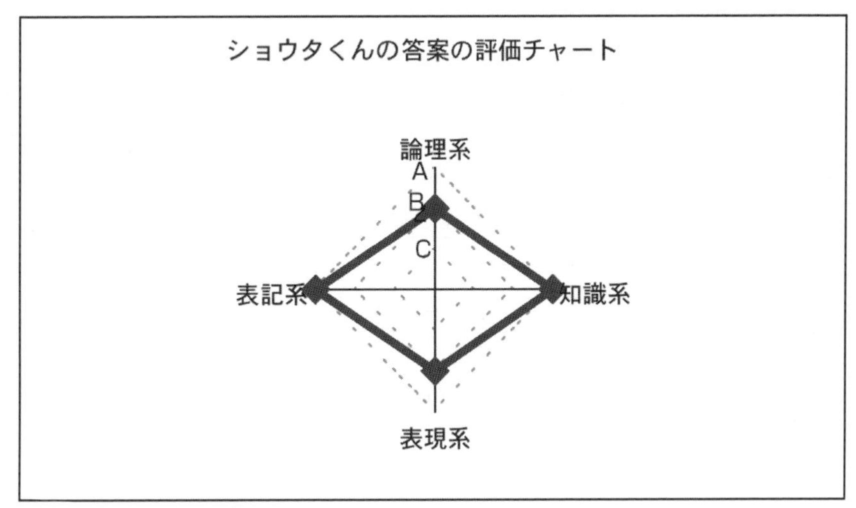

課題C

この課題は意見文の作成です。次の文章の後略部分で筆者は、「時勢にあおられて自分たちは忘れ物をしていないか、捨てる必要のないものまで捨てていないか」と問いかけています。文章の内容を踏まえて、この問いかけに対するあなたの考えを600字以内で述べなさい（600字以内)。

「お茶をひく」という言葉がある。客のつかない遊女が茶葉を臼でひいているさまが語源のようで、働いても金にならない状況を指す。「お茶っぴき」とか「お茶っぴい」とも言う古い表現だが、刑事や検事の間では今もこの言葉が隠語として使われたりする。

彼らが言う「お茶っぴき」とは、検事調べの際、容疑者を検察庁の待合室で一日中待たせ、結局その日は調べを行わないことである。容疑者は居眠りはもちろん、私語も厳禁され、孤独と向き合わなければならない。態度の悪い容疑者を懲らしめる策らしい。

意外な取り合わせだが、「お茶」と「刑事」は言葉の上で相性が悪くない。たとえば「お茶くみ刑事」という言葉である。

石井慶治という刑事がいた。古い時代の警視庁捜査1課巡査部長、いわゆる「デカ長」である。

ある事件の見通しがつき、係長（警部）宅に中堅幹部が集まって酒を飲んだ。石井はこれをどこからか聞きつけ、係長宅に向かう。酔っている。宅に上がるなり、身長180センチ超の巨漢で柔道二段の石井は「てめえら、ろくな仕事もしねえくせに酒なんぞくらいやがって」と怒り、暴れ回った。

何を怒っていたか定かでないが、当人はとにかく泥酔している。翌朝、ミカン箱を手に石井が謝罪に走ってこれは収まったものの、その後も酔って上司を川に投げ込もうとするなど、その方面での問題は絶えなかった。この時代に目立った乱暴で無頼な刑事の典型である。

その特質として、事件にぶつかると家庭を顧みなかった。給料手渡しの当時、給料日にも帰宅せず、夫人は隣家から借金した。半面、捜査がうまくいったときはラジオの音楽に合わせて踊るひょうきんさも持ち合わせていた、と夫人が後に明かしている。

吉展ちゃん誘拐事件（昭和38年）で著名な平塚八兵衛と組み、容疑者を取り調べた。プロとして尊敬していたのだろう、石井は3歳年下の平塚を「兄貴」と呼んだ。

このとき石井はがんに侵されていた。本人は知らない。容疑者の否認に焦る平塚は、疲れを見せる石井に「慶さん、やる気がないなら帰ってくれ」と怒る。「兄貴、すまない」と小さくなって謝る石井は解決後、倒れた。

病床の石井を課長の津田武徳が訪ね、表彰状を読み上げ、警察官最大の名誉とされる警察功績章を手渡した。石井はただ泣き続けた。１年後の昭和 41 年に逝く。

石井の口癖が伝わっている。

「おれは頭がはげているけど、警視庁に行けばお茶くみ刑事だ」

新人刑事はかつてお茶くみの洗礼を受けた。刑事課の流しに積まれた先輩の湯飲みに戸惑い、「熱い」と怒られ、「ぬるい」と凄(すご)まれた。気を回して湯飲みの渋を洗い流そうものなら「どういう了見だ！」と怒鳴られた。念願の刑事になりながら、ホシも捕れずにお茶で怒られる身を、新人は「おれはお茶くみ刑事」と嘆いた。

昔の話と言ってしまえばそれまで。だが、お茶くみには徒弟制なりの教育が秘められていたことも事実だ。ＯＢはこう言うのだ。

「湯飲みの持ち主を覚え、刑事部屋の連中の好みを覚え、機嫌や体調をみて熱さや濃さを加減するというのは、実は刑事にとって大切な『人の複雑さ』を肌で覚えていくことでもあります。刑事の原点は聞き込み。取り調べはその延長。話を引き出すことです。人を見抜く能力を養う上で、お茶くみは絶好の訓練でした」

そういう視点で見ると、石井の口癖は、捜査１課ベテラン刑事の彼がなおも人を知ろう、目を養おうともがいていたことを示すのではないか―とも思えてくる。

今はお茶くみ刑事の悲哀はない。湯飲みにはマジックで名が書かれ、刑事部屋から罵声(ばせい)は消えた。同様に、一見理不尽に映りながらも職業人を育てる上で大切な厳しさも、この国の多くの職場から消えてしまった観がある。

＜ 後 略 ＞

（井口文彦「消えた含蓄＜お茶くみ刑事＞」『産経新聞』2008 年 12 月 28 日）

答案を読んでみよう！

ショウタくんの答案

筆者が言うように、私たちは時勢にあおられて忘れ物をしたり、捨てる必要のないものまで捨てたりしているのだろうか。

働いても金にならない状況を指して、「お茶をひく」という。今でも刑事や検事の間では、隠語として「お茶っぴき」という言葉が使われているのだという。検事調べでは、容疑者を検察庁の待合室で一日中待たせて調べを行わない日もあるそうだ。

「お茶」と「刑事」は意外な取り合わせだが、「お茶くみ刑事」という言葉もある。かつての乱暴で無頼な刑事の典型であった警視庁捜査１課の石井刑事も、３歳年下の刑事を「兄貴」と呼んで「お茶くみ刑事」を自称したという。

新人刑事たちは、お茶くみを通して、戸惑い、すごまれ、怒鳴られながら、『人の複雑さ』を肌で覚え、人を見抜く能力を養うための訓練を受けてきた。刑事部屋の「お茶くみ」にも、徒弟制なりの教育が秘められていたのである。

しかし、今はもう、お茶くみ刑事の悲愁は、刑事部屋からなくなっている。同様に、学校では、たとえ生徒を思っての「愛のムチ」であったとしても、理不尽な暴力は否定されるようになっている。

以上から、私たちが何か大切なものを忘れたり、失ったりしているという筆者の考えに賛成する。私たちは時勢にあおられることなく、大切なものをしっかりと守っていかなければならないのである。

全体を通して気づいたこと

アイさんの答案

　高度な技術で日本の産業の発展を支えてきた人々が高齢化し、日本のものづくり技術の継承が危ぶまれている。この危機の要因は、いったい何であろうか。
　まず、後継者となるべき若者たちの気質の変化があげられる。近年、ものづくりの世界においても、デジタル革命が進展していると指摘されるが、職人の勘をデジタル化することは困難であるという。職人の勘は、長年にわたる経験によって培われ、濃密な師弟関係を通じて受け継がれるものだからだ。しかし、近年の若者は、長期の下積みを嫌い、濃密な人間関係を避ける傾向にある。
　一方、意欲的な若者の修業の継続を妨げる、制度上の壁もある。現代の日本において職人が弟子を迎え入れると、雇用者と労働者の関係になる。いくら弟子が未熟だからと言って、労働者である以上、タダ働きさせることはできない。その上、弟子の教育に費やした時間分の師匠の収入は誰も補償してくれない。このように、師弟関係を結びたくても結びにくい、というのが実情である。
　そこで、政府は、ものづくりの分野に予算を重点的に配分するべきである。日本のものづくりの技術は転移性が高く、新たな産業の創出が期待できる。伝統工芸の見直しは、国民一人ひとりの心に日本人としての矜持を呼び起こし、自信の再生にもつながる。ベーシックインカムのような不特定多数を対象とした給付政策よりも、メリハリの利いたメッセージとなるであろう。

全体を通して気づいたこと

課題C　評価基準と解説

本課題では、「資料活用系」「論理系」「知識系」「表現系」「表記系」の５項目について、それぞれ3段階（A：よくできている、B：ある程度できている、C：努力が必要）で評価することとします。

資料活用系

本課題は、設問文で「文章の内容を踏まえて」と指示されているので、資料活用のあり方も評価の対象となります。

本課題における資料は、書く材料を持ち合わせていない人のためのサービスではありません。**出題者と解答者全員が拠って立つ、共通の足場**なのです。「自分はもともと背景知識があるから、資料なんかに頼らないで書いた」などと言っても、けっして自慢にはなりません。「設問の要求を満たしていない」として大幅に減点される可能性がありますので注意してください。

主な観点は、次の２点です。

① 設問文の要求に沿って資料文のポイントをつかんでいるか
② 資料文を適切に引用しているか

これらが**いずれもできていればA、いずれも不十分であればC、その他の場合はB**とします。

① 設問文の要求に沿って資料文のポイントをつかんでいるか

資料文のポイントをつかむにあたって、まず、ざっと一読して資料文の目的を確認するとよいでしょう。

資料文は、資料文の筆者による取材や伝聞に基づく「事実の記述」が中心です。しかし、推論や判断に基づく「意見の記述」と考えられる記述も、いくつか指摘することができます（＿＿＿部分）。

「事実の記述」「意見の記述」の区別が明確ではなく、社説のような論説文と比べると随想的な要素の強い文章ではありますが、全体としては、一種の意見文であると言ってよいでしょう。

「お茶をひく」という言葉がある。客のつかない遊女が茶葉を臼でひいているさまが語源のようで、働いても金にならない状況を指す。「お茶っぴき」とか「お茶っぴい」とも言う古い表現だが、刑事や検事の間では今もこの言葉が隠語として使われたりする。

彼らが言う「お茶っぴき」とは、検事調べの際、容疑者を検察庁の待合室で一日中待たせ、結局その日は調べを行わないことである。容疑者は居眠りはもちろん、私語も厳禁され、孤独と向き合わなければならない。態度の悪い容疑者を懲らしめる策らしい。

意外な取り合わせだが、「お茶」と「刑事」は言葉の上で相性が悪くない。たとえば「お茶くみ刑事」という言葉である。

石井慶治という刑事がいた。古い時代の警視庁捜査1課巡査部長、いわゆる「デカ長」である。

ある事件の見通しがつき、係長（警部）宅に中堅幹部が集まって酒を飲んだ。石井はこれをどこからか聞きつけ、係長宅に向かう。酔っている。宅に上がるなり、身長180センチ超の巨漢で柔道二段の石井は「てめえら、ろくな仕事もしねえくせに酒なんぞくらいやがって」と怒り、暴れ回った。

何を怒っていたか定かでないが、当人はとにかく泥酔している。翌朝、ミカン箱を手に石井が謝罪に走ってこれは収まったものの、その後も酔って上司を川に投げ込もうとするなど、その方面での問題は絶えなかった。この時代に目立った乱暴で無頼な刑事の典型である。

その特質として、事件にぶつかると家庭を顧みなかった。給料手渡しの当時、給料日にも帰宅せず、夫人は隣家から借金した。半面、捜査がうまくいったときはラジオの音楽に合わせて踊るひょうきんさも持ち合わせていた、と夫人が後に明かしている。

吉展ちゃん誘拐事件（昭和38年）で著名な平塚八兵衛と組み、容疑者を取り調べた。プロとして尊敬していたのだろう、石井は3歳年下の平塚を「兄貴」と呼んだ。

このとき石井はがんに侵されていた。本人は知らない。容疑者の否認に焦る平塚は、疲れを見せる石井に「慶さん、やる気がないなら帰ってくれ」と怒る。「兄貴、すまない」と小さくなって謝る石井は解決後、倒れた。

病床の石井を課長の津田武徳が訪ね、表彰状を読み上げ、警察官最大の名誉とされる警察功績章を手渡した。石井はただ泣き続けた。1年後の昭和41年に逝く。

石井の口癖が伝わっている。

「おれは頭がはげているけど、警視庁に行けばお茶くみ刑事だ」

新人刑事はかつてお茶くみの洗礼を受けた。刑事課の流しに積まれた先輩の湯飲みに戸惑い、「熱い」と怒られ、「ぬるい」と凄(すご)まれた。気を回して湯飲みの渋を洗い流そうものなら「どういう了見だ！」と怒鳴られた。念願の刑事になりながら、ホシも捕れずにお茶で怒られる身を、新人は「おれはお茶くみ刑事」と嘆いた。

昔の話と言ってしまえばそれまで。だが、お茶くみには徒弟制なりの教育が秘められていたことも事実だ。ＯＢはこう言うのだ。

「湯飲みの持ち主を覚え、刑事部屋の連中の好みを覚え、機嫌や体調をみて熱さや濃さを加減するというのは、実は刑事にとって大切な『人の複雑さ』を肌で覚えていくことでもあります。刑事の原点は聞き込み。取り調べはその延長。話を引き出すことです。人を見抜く能力を養う上で、お茶くみは絶好の訓練でした」

そういう視点で見ると、石井の口癖は、捜査１課ベテラン刑事の彼がなおも人を知ろう、目を養おうともがいていたことを示すのではないか―とも思えてくる。

今はお茶くみ刑事の悲哀はない。湯飲みにはマジックで名が書かれ、刑事部屋から罵声(ばせい)は消えた。同様に、一見理不尽に映りながらも職業人を育てる上で大切な厳しさも、この国の多くの職場から消えてしまった観がある。

ここで、設問文に目を向けてみましょう。「次の文章の後略部分で筆者は、『時勢にあおられて自分たちは忘れ物をしていないか、捨てる必要のないものまで捨てていないか』と問いかけています」とあります。

そうです。最後の波線部の「一見理不尽に映りながらも職業人を育てる上で大切な厳しさ」の部分が、筆者の考える「忘れ物」「捨てる必要のないもの」に相当することが分かるでしょう。この点にきちんと言及できていたでしょうか。

②　資料を適切に引用しているか

資料を踏まえて論じていることを読み手に伝えるためには、第５章で紹介した直接引用または間接引用の手法を用いて、資料を適切に引用しなければなりません。**資料文の内容を切り貼りして、あたかも自分自身の意見であるかのように偽る行為は、決して許されません。**

ただし、本課題のように字数の少ない文章では、一般の論文のように引用元の情報（著者名や書名など）をていねいに表示する余裕はありません。「資料によれば～」「～と資料では述べている」といった程度でよいでしょう。

論理系

主な観点は、次の３点です。

① **自分の主張とその根拠が明確に述べられているか。**
② **根拠が十分に深められているか。**
③ **適切に構成されているか。**

これらが**すべてできていればＡ、２つ以上不十分であればＣ、その他の場合はＢ**とします。

① **自分の主張とその根拠が明確に述べられているか。**

意見文としての「基本セット」は備わっているでしょうか。出題者としては、（ア）を出発点として、（イ）さらには（ウ）まで主張してくれることを期待しています。

（ア）　筆者の問題意識（自分たちは忘れ物をしている、捨てる必要のないものまで捨てている）に対する自分の見解

↓さらに

（イ）　現状のままでよいのか、変えていくべきなのかについての自分の見解

↓（現状を変えていくべきならば）

（ウ）　自分たちは何をするべきか

本課題は課題Ｂとは異なり、「賛成／反対」と割り切って論じることのできるテーマではありません。筆者の言う「忘れ物」「捨てる必要のないもの」とは何かを明らかにした上で、そのままでよいのか、それとも「忘れ物」を取り戻すべきなのか、取り戻すのであれば、どのようにするべきなのかを論じてほしいのです。

（ア）において、「筆者が言うような忘れ物はしていない」という主張をするには、相当しっかりとした根拠で裏付けなければなりません。そもそも**入学試験や採用試験の場合、出題者は問題意識を共有できる人物を選抜したい**はずです。「ある者は認め、ある者は認めない」のが意見であり、意見文における主張は基本的に自由であるべきです。しかし、主張の前提となる問題意識も自由でよいとは限らないのです。

なお、設問文中の「自分たちは忘れ物をしていないか」、資料文末尾の「この国の多くから消えてしまった」という記述から分かるように、日本社会全体の問題として論じることが求められています。個人的な心構えを述べるだけでは、本課題の要求に応えたことにならないのです。

② 根拠が十分に深められているか。

本課題の資料のテーマは「職業人を育てる上での厳しさ」ですが、課題Bと同様に「隠れた大テーマ」を見つけ出すことができれば、根拠はさらに深まります。そもそも、「働く」とはどういうことでしょうか。「職業人」とは何でしょうか（business worker ? professional ?）。「教育」には、どのような意義や限界があるのでしょうか。

また、設問文中の「時勢」とは何か、明らかにすることも大切です。「日本社会の何がどう変化したのか」を明確に示すことができれば、「忘れ物」が起こった原因・背景分析の説得力が高まります。

③ 適切に構成されているか。

それぞれの文が論理的な思考の筋道にそって配列され、意味のまとまりが段落によって**「可視化」**されているでしょうか。

本課題の場合、たとえば、次のようなアウトラインが考えられます。

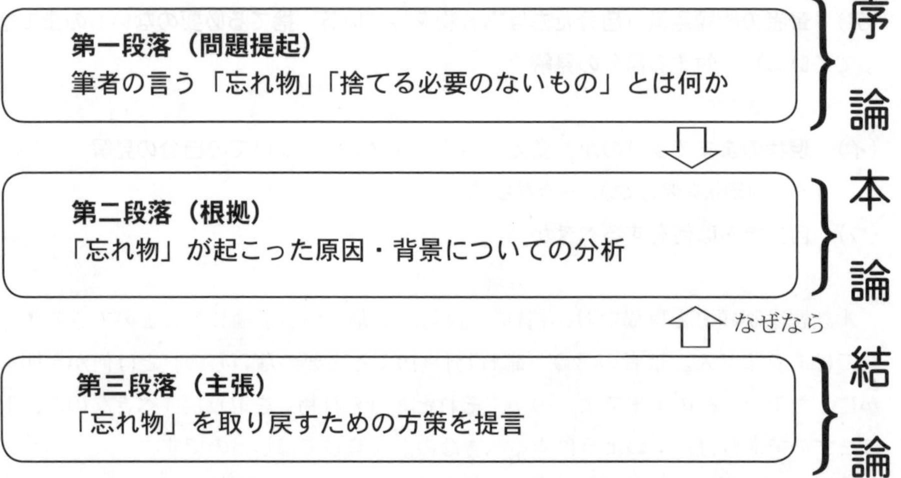

課題Bの解説で示したアウトラインとは、かなり異なっていますね。第3章第2節では、主張を〔本論〕の部分で示しましたが、このアウトラインでは、根拠を〔本論〕で十分に示した上で、「忘れ物」を取り戻すための方策については〔結論〕で主張するという構成をとりました。

何らかの提言や将来の展望に重点をおく意見文の場合、**現在⇒過去⇒未来**の配列を意識すると有効です。「現在」は現状を把握する部分です。「過去」は「昔のこと」という意味ではありません。現在、起こっていることの原因や背景、理由を分析する部分です。これらを踏まえて「未来」について、すなわち今後どうするべきか、あるいはどうなっていくかを述べるのです。

p.98 のアウトラインも、〔序論〕・〔本論〕・〔結論〕が**現在⇒過去⇒未来**にそれぞれ対応しています。

知識系

主な観点は、次の2点です。

① 背景知識は十分か
② 事実関係は正しいか

これらが**いずれもできていればA、いずれも不十分であればC、その他の場合はB**とします。

① 背景知識は十分か

本課題のテーマに関する事柄（労働の意義、日本社会の変容、現代社会の特質など）について、日ごろから高い関心を持っていれば、豊富な知識で根拠を具体化し、深めることができます。

② 事実関係は正しいか

客観的な事実を使って根拠を深めることができれば、説得力はさらに高まります。しかし、その「事実の記述」には正確さが求められます。

表現系

主な観点は、次の２点です。

① **誤った表現はないか**
② **無駄な表現はないか**

これらが**いずれもできていればＡ、いずれも不十分であればＣ、その他の場合はＢ**とします。詳細は課題Ａの解説（p.74・75）を参照してください。

表記系

主な観点は、次の３点です。

① **誤字・脱字、漢字で書くべき語のかな書きはないか**
② **字数は過不足ないか**
③ **原稿用紙の使い方のルールを守っているか**

これらが**いずれもできていればＡ、２点以上不十分であればＣ、その他の場合はＢ**とします。

詳細は課題Ｂの解説（p.85）を参照してください。

以上の基準を踏まえて、p.102 ～ 105 で二人の答案を評価しました。あなたが、p.92・93 で入れたコメントと私のコメントを比較しながら読んでください。

コラム

文章が下手になる授業？

「悪い音色」というものは存在しません。ただ、一定の作品なり楽器なりに合う音と合わない音があるだけです（クロード・サミュエル編・田中淳一訳『ロシア・音楽・自由』みすず書房、1987年）

2007年に亡くなった名チェロ奏者ムスティスラフ・ロストロポーヴィチの言葉です。これをあえて本書向けに言い換えるならば、「『悪い文章』というものは存在しない。一定の目的に合う文章と合わない文章があるだけだ」といったところでしょうか▶私は半年間この授業を受けて文章が下手になったと思う——かつて筆者は授業評価（p.24参照）で、ある学生にこのような評価を下されたことがあります。文章作成能力を向上させるための授業なのに、かえって下手になったとは何事か！大学当局にしてみれば、講師の能力を疑わせる厳しい指摘です。この指摘をもとに、筆者の解雇が真剣に議論されたかもしれません▶しかし、ロストロポーヴィチの言葉を思い起こした筆者は、自分でも意外なほど冷静にその学生の言葉を受け止めることができたのです。あくまでも想像にすぎないのですが（規定により、評価した学生個人を特定することはできません）、その学生にとっての「上手な文章」とは、行間にこめられた含蓄、技巧を凝らした表現など、いわば文学的な魅力を備えた文章だったのかもしれないからです▶筆者は、文学的な文章を決して否定するものではありません。しかし、論文・レポートなどのアカデミックライティングの指導の場では、含蓄や技巧といった要素の優先順位を下げざるを得ません。その学生にとって筆者の授業は、含蓄や技巧を排した無味乾燥な文章、ひいては「下手」な文章を強いる授業だったのかもしれません。けっしてその学生が「下手になった」のではなく、アカデミックライティングという目的に合った文章を的確に書けているからこそ出てきた授業批判だったのではないでしょうか。だとすれば、筆者が反省すべき点は、その学生に「上手」な表現を教えることができなかったことではなく、「目的」を十分に理解させることができなかったことにあります▶当時の授業には、思い出したくもない失敗がたくさんありました。しかし、当時の学生たちの様々な反応について改めて思い返すとき、今さらながらに学ばされることも少なくありません。当時大学1年生だった彼らは、すでに卒業しているはずです。それでも一人一人見つけ出してお礼を言いたいぐらいです。彼らにとっては迷惑千万でしょうけれど……。

ショウタくんの課題C答案へのコメント

序

筆者が言うように、私たちは時勢にあおられて忘れ物をしたり、捨てる必要のないものまで捨てたりしているのだろうか。

本

働いても金にならない状況を指して、「お茶をひく」という。今でも刑事や検事の間では、隠語として「お茶っぴき」という言葉が使われているのだという。検事調べでは、容疑者を検察庁の待合室で一日中待たせて調べを行わない日もあるそうだ。

「お茶」と「刑事」は意外な取り合わせだが、「お茶くみ刑事」という言葉もある。かつての乱暴で無頼な刑事の典型であった警視庁捜査１課の石井刑事も、３歳年下の刑事を「兄貴」と呼んで「お茶くみ刑事」を自称したという。

新人刑事たちは、お茶くみを通して、戸惑い、すごまれ、怒鳴られながら、『人の複雑さ』を肌で覚え、人を見抜く能力を養うための訓練を受けてきた。刑事部屋の「お茶くみ」にも、徒弟制なりの教育が秘められていたのである。

しかし、今はもう、お茶くみ刑事の悲愁は、刑事部屋からなくなっている。①同様に、学校では、たとえ生徒を思っての「愛のムチ」であったとしても、理不尽な暴力は否定されるようになっている。

結

以上から、私たちが②何か大切なものを忘れたり、失ったりしているという③筆者の考えに賛成する。私たちは④時勢にあおられることなく、大切なものを⑤しっかりと守っていかなければならないのである。

必要な記述だろうか？（＿＿＿の箇所、以下同じ）

資料文への言及が長すぎでは？

ショウタくん自身の言葉で説明を聞きたい！

「お茶くみ」と暴力を同列に扱える？

具体的には何？

賛否が問われている？

どうやって？

ショウタくんの答案は、構成が見事に**可視化**されています。序論部（第一段落）での問題提起に対応した主張を述べた結論部（第六段落）にいたるまでの論証を、本論（第二〜五段落）で行っています。しかし、ショウタくんの答案には大きな問題点が三つあります。

第一に、論点が「忘れ物」「何か大切なもの」の有無に終始している点です。結論部の「何か大切なもの」（下線部②）とは何でしょうか。また、「時勢」（下線部④）とはどのような社会状況をさしているのでしょうか。大切なものをしっかりと守る（下線部⑤）ためには、どうしたらいいのでしょうか。あいまいな点が多く、全体としてのメッセージが弱いのです。また、「筆者の考えに賛成する」（下線部③）という記述も気になります。本課題は、必ずしも資料文の筆者への賛否を求めているわけではありません。どのような課題であっても「賛成／反対」で論じようとする学生が少なくありませんが、再考が必要でしょう。

第二に、資料文に依存しすぎている点です。第二段落から第四段落は、ほとんど資料文の再構成（悪く言えば「切り貼り」）と言ってよい内容です。資料文に強く依存している割には引用の仕方が不適切、と受け取られる心配もあります。そもそも、「お茶くみ」は、資料文の筆者が「職業人を育てる上で大切な厳しさ」を読者に問題提起するための例示と受け止めるべきでしょう。「文章の内容を踏まえて」答える課題ではありますが、**例示されたにすぎない事柄にこだわりすぎては本末転倒**です。とくに、第二・三段落は言及する必要のない内容でしょう。これらの段落は思い切って省き、その分、第四段落の「人の複雑さ」「徒弟制なりの教育」といったキーセンテンスを、ショウタくん自身の言葉で説明してほしいところです。

最後に、刑事部屋のお茶くみを学校教育における暴力と結び付けている（下線部①）点です。お茶くみに象徴される「厳しさ」と暴力を伴う「厳しさ」は、同質のものなのでしょうか。石井刑事の「乱暴」なエピソード（資料文の前半）と混同していませんか。資料文の筆者は、けっして暴力を肯定してはいないはずです。教育関係の論文・論作文を書く人はとくに、学校教育での体罰は法律で禁止されている（学校教育法第11条）ことを念頭に、慎重に論じてほしいところです。

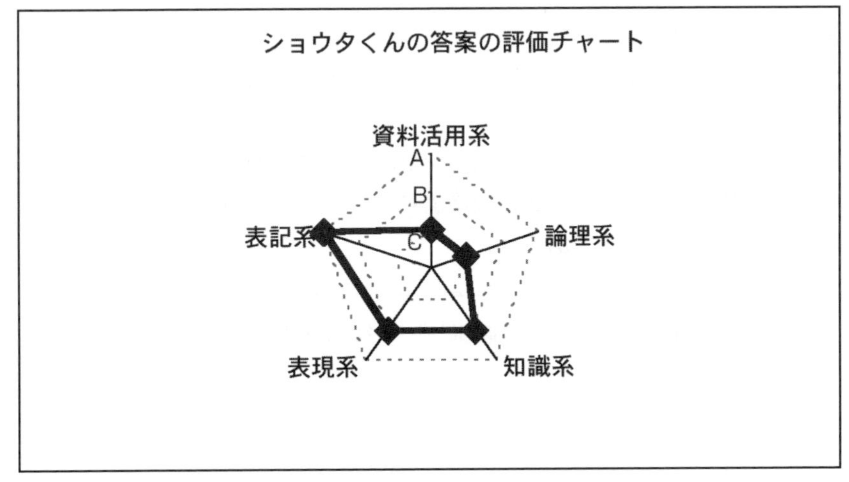

アイさんの課題C答案へのコメント

序 　高度な技術で日本の産業の発展を支えてきた人々が高齢化し、日本のものづくり技術の継承が危ぶまれている。この危機の要因は、いったい何であろうか。

段落の中心文が明確に示されている（＿＿の箇所、以下同じ）

本 　まず、後継者となるべき若者たちの気質の変化があげられる。近年、ものづくりの世界においても、デジタル革命が進展していると指摘されるが、職人の勘をデジタル化することは困難であるという。職人の勘は、長年にわたる経験によって培われ、濃密な師弟関係を通じて受け継がれるものだからだ。しかし、①近年の若者は、長期の下積みを嫌い、濃密な人間関係を避ける傾向にある。

　一方、意欲的な若者の修業の継続を妨げる、制度上の壁もある。現代の日本において職人が弟子を迎え入れると、雇用者と労働者の関係になる。いくら弟子が未熟だからと言って、労働者である以上、タダ働きさせることはできない。その上、弟子の教育に費やした時間分の師匠の収入は誰も補償してくれない。このように、師弟関係を結びたくても結びにくい、というのが実情である。

多角的（若者気質の変化・制度の壁）に論じることができている

本当にそう？

結 　そこで、政府は、ものづくりの分野に予算を重点的に配分するべきである。②日本のものづくりの技術は転移性が高く、新たな産業の創出が期待できる。③伝統工芸の見直しは、国民一人ひとりの心に日本人としての矜持を呼び起こし、自信の再生にもつながる。ベーシックインカムのような不特定多数を対象とした給付政策よりも、メリハリの利いたメッセージとなるであろう。

どういうこと？もっと説明してほしい

唐突！

対応策と期待される効果が具体的に述べられている

アイさんの答案も、構成が見事に**可視化**されています。**序論・本論・結論**がバランスよく配されていることが分かるでしょう。

序論（第一段落）では、導入として「日本のものづくり技術継承の危機」という現状認識を示し、その要因を問いかける形で問題提起を行っています。続く**本論**（第二・三段落）における技術継承の危機の要因についての考察を踏まえ、最終段落で、ものづくり技術の継承のためにとるべき対策を提言することによって**結論**としています。

第二・三段落で若者気質の変化や雇用制度に着目して**多角的な考察**を展開していること、「デジタル革命」「ベーシックインカム」といった**時事的な要素**を取り入れていることなど、見所の多い答案です。第二～四段落では、段落冒頭に中心文を明示し（____の箇所）、中心文を裏付ける形で説明を展開している点も見習うべきでしょう。

ただし、資料文の筆者が問題提起する「忘れ物」「捨てる必要のないもの」（職業人を育てる上で大切な厳しさ）との関係があいまいです。よくよく読めば、確かに「濃密な師弟関係」「職人の勘」（第二段落）はそれぞれ、資料文後半に出てくる「徒弟制」「『人の複雑さ』を肌で覚えていくこと」と対応しているようです。しかし、入学試験や採用試験の場合、**必ずしも問題作成者自身がすべての答案を採点するとは限らない**のです。「読めば分かるはず」という姿勢をとるべきではありません。

また、近年の若者の傾向についての記述（下線部①）も気になります。特定の集団をステレオタイプで論じることのないよう、慎重に述べるべきでしょう。アイさんが20歳前後の若者だとすれば、自分自身の気質はどのようにとらえているのか、気になるところです。客観性は大切ですが、自分ひとり高みにのぼって論じることには、一長一短があります。「転移性」（下線部②）の定義のあいまいさ、「伝統工芸」（下線部③）の唐突さも見直してほしいポイントです。

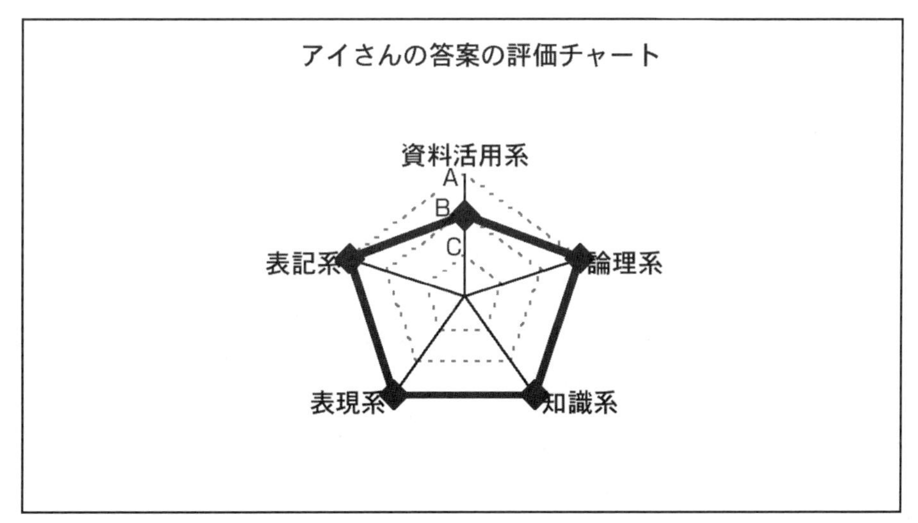

課題D

この問いは意見文の作成です。年代別のネット利用に関する次の資料を踏まえて、ネット利用をめぐる社会的な課題を取り上げ、その課題への対応策について、あなたの考えを述べなさい（600字以内）。

パソコン・モバイルそれぞれによるインターネット利用時間（場所別・年代別）

単位：分

	全年代	10代	20代	30代	40代	50代	60代
パソコン	60.7	33.1	73.5	63.3	66.9	68.1	46.6
自宅	20.2	22.5	40.1	13.2	20.8	11.5	18.7
職場	38.2	0.5	28.7	48.7	45.3	55.5	27.2
学校	1.3	8.8	3.4	0.0	0.0	0.0	0.0
移動中	0.8	0.6	1.1	1.1	0.7	0.7	0.4
その他	0.3	0.5	0.1	0.2	0.2	0.4	0.3
モバイル	123.1	203.1	197.5	128.5	105.9	94.0	71.3
自宅	88.8	152.5	145.7	92.0	77.4	64.0	49.6
職場	18.3	1.8	26.2	21.7	18.9	19.6	15.2
学校	2.3	18.7	4.1	0.0	0.0	0.0	0.0
移動中	11.3	27.1	19.0	11.5	8.0	8.5	4.2
その他	2.4	3.1	2.5	3.4	1.6	1.8	2.3

「モバイル」には、スマートフォン（スマホ）とフィーチャーフォン（いわゆる「ガラケー」）が含まれる。

タブレットやテレビによるネット利用は含まれない。

平日１日の平均利用時間である。

対象は、全国から抽出された13～69歳までの男女1500人。

調査は、2023年12月に実施。

出典：総務省情報通信政策研究所「令和５年度情報通信メディアの利用時間と情報行動に関する調査報告書」（2024年６月）による。

答案を読んでみよう！

ショウタくんの答案

パソコン・モバイルそれぞれによるインターネット利用時間を場所別・年代別に示したデータを見てまず驚かされるのは、10 代のモバイルによる利用が 203.1 分と大変多く、全年代のモバイルによる利用 123.1 分の 2 倍近くであることです。パソコンとモバイルの利用時間の合計も、236.2 分で 20 代に次ぐ長さとなっています。50 代では、モバイルによる利用が 94.0 分と 10 代の 2 分の 1 以下ですが、パソコンによる利用は 68.1 分で 10 代のおよそ 2 倍となっています。10 代にとって、インターネット利用は不可欠です。しかし、その便利さとともに、悪い点もよく考えなければなりません。

一方で 60 代のインターネット利用時間の少なさも気になります。パソコンとモバイルの利用時間の合計 117.9 分は全年代中最少で、特にモバイルは 71.3 分で 10 代の 3 分の 1 程度です。パソコンやモバイルの操作を習得しようにも、加齢による身体の衰えや記憶力の低下などによって思うようにいかない人が多いのでしょう。しかし、インターネット利用ができるととても便利なことが多いのですから、60 代の人々もインターネットで情報収集できるよう、配慮しなければなりません。

このように、インターネットの利用には年代ごとに大きな違いがあります。しかし、インターネットの利用に慣れた若い世代が、高齢者のためにできることもあるのではないでしょうか。

全体を通して気づいたこと

アイさんの答案

現在、多くの若者が長時間インターネットを利用しており、特にＳＮＳによる交流や動画サイトの視聴などに多くの時間を割いている。しかし、「スマホ依存」「ネトゲ依存」といった問題が指摘されているように、心身や社会生活への影響が懸念される。この事態にどう対応していけばよいのだろうか。

若者のネット依存の要因として、まず、自制心の欠如が考えられる。発達段階にある未成年者は特に、自分の欲望を抑えることが難しい。子どもに甘い家庭環境であったり、親自身がネットに依存していたりすると、その傾向は、ますます強まる。しかも、学生時代のインターネット利用の手段はモバイルに偏りがちで、パソコンに習熟する機会がないと就職後に苦労することになる。

また、ネットコンテンツが持つ中毒性も、ネット依存の大きな原因と言える。ＳＮＳで「いいね」が増えることへの快感など、ネットは様々な刺激に満ちあふれている。頭ではよくないとわかってはいながらも、なかなか区切りをつけられない人が少なくない。

そこで、対応策として、まず親子間でのネット利用時間に関するルールを確立し、厳守させるべきである。スマホは親の名義で契約し、親が子どもに貸し出すという形をとるのも効果的であろう。そして、特に中毒性の高いオンラインゲームについては、課金の払い過ぎを防ぐためにも禁止を目指していくべきである。

全体を通して気づいたこと

課題D　評価基準と解説

本課題では、「資料活用系」「論理系」「知識系」「表現系」「表記系」の５項目について、それぞれ３段階（A：よくできている、B：ある程度できている、C：努力が必要）で評価することとします。

資料活用系

本課題は、設問文で「資料を踏まえて」と指示されているので、資料活用のあり方も評価の対象となります。

課題Cの資料文と同様、本課題における「インターネット利用時間」についての調査結果は「サービス」ではありません。**出題者と解答者全員が拠って立つ、共通の足場**です。資料を活用していることがうかがえない答案は、大幅に減点される可能性がありますので注意してください。

主な観点は、次の２点です。

①　資料から直接読み取ったことと解釈したことが区別して示されているか
②　①をもとに、ネット利用をめぐる社会的な課題が明らかにされているか

これらが**いずれもできていればA、いずれも不十分であればC、その他の場合はB**とします。

第５章で解説したように、本課題の資料のような客観的なデータを活用する際には、**「直接読み取ったこと」と、そこから「解釈できること」とを明確に区別する**必要があります。「解釈できること」には、「直接読み取った」事実の原因や要因もあれば、「直接読み取った」事実がもたらす影響や予測もありますね（p.110 の表を参照）。いずれにしても本課題の場合は「ネット利用をめぐる社会的な課題」を意識して解釈する必要があります。解釈にあたっては、データが採られた時期にも十分注意しましょう。

また、**参照元を明らかにすることによって、資料を十分に活用していることを読み手にアピールすることができます。**「資料によれば～」のように明示するとよいでしょう。

【読み取り・解釈例】 あくまで一部の例です。

直接読み取れること	解釈できること
モバイルによるネット利用は、10代・20代で200分前後に達し、7割以上が自宅での利用である。	学校でのモバイル操作を禁止され、自宅でＳＮＳなどを楽しんでいる学生が多い 利用過多により、学業や健康に悪影響を招きかねない
30～50代のパソコンによるネット利用の6割以上が職場での利用である。	職場の備品であるパソコンで、取引先との連絡や業務上の検索を行っている人が多い ネットの私的利用によるトラブルや作業効率の低下が懸念される
60代は、パソコン・モバイルを合わせたネット利用時間が最も少なく、特にモバイルは全年代中最も短い。	新しいメディアを使いこなすためのリテラシー修得への意欲が乏しい 緊急を要する情報を取得する機会を失う可能性がある

論理系

主な観点は、次の３点です。

①　自分の意見とその根拠が明確に述べられているか
②　根拠が十分に深められているか
③　適切に構成されているか

これらが**いずれもできていればＡ、２つ以上不十分であればＣ、その他の場合はＢ**とします。

①　自分の主張とその根拠が明確に述べられているか

意見文としての「基本セット」は備わっているでしょうか。本課題は課題Ｂとは異なり、「賛成／反対」と割り切れるとは限りません。あなたが取り上げた課題にふさわしい形で対応策が提案されていなければなりません。

なお「ネット利用をめぐる社会的な課題」ですから、社会全体としてのあり方が問われています。個人的な心構えを述べるだけでは、本課題の要求に応えたことにならないのです。

② 根拠が十分に深められているか

ネット利用をめぐる社会的な課題を論じるにあたっては、まずパソコン・モバイルそれぞれの特性を再確認する必要があります。また、各年代の人々の社会的な立場やライフスタイルを比較・対照して、考察するとよいでしょう。

また本課題のテーマは「ネット利用」ですが、課題Ｂと同様に**「隠れた大テーマ」**を見つけ出すことができれば、根拠はさらに深まります。たとえば、私たちにとって、そもそも「情報」とは何なのでしょうか。私たちは、どのような時にどのような情報を必要としているのでしょうか。

③ 適切に構成されているか

それぞれの文が論理的な思考の筋道にそって配列され、意味のまとまりが段落によって**「可視化」**されているでしょうか。本課題の場合、たとえば、次のようなアウトラインが考えられます。

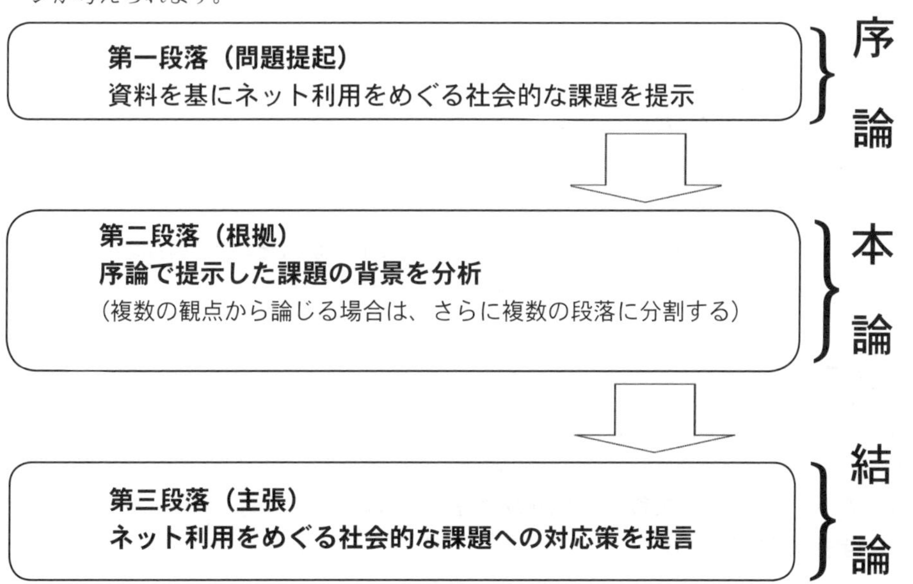

課題Ｃの解説と同様、序論・本論・結論が**現在⇒過去⇒未来**の配列になっていることに気づいたでしょうか。まず「現在」で、現時点の課題を指摘しています。次に「過去」では課題の背景を分析しています。これらを踏まえて「未来」について、すなわち今後どうするべきかを述べようとしています。

知識系

主な観点は、次の２点です。

① **背景知識は十分か**
② **事実関係は正しいか**

これらが**いずれもできていればA、いずれも不十分であればC、その他の場合はB**とします。

① **背景知識は十分か**

本課題のテーマに関する事柄（メディアの現状、国民生活の変化など）について、日ごろから高い関心を持っていれば、豊富な知識で根拠を具体化し、深めることができます。

② **事実関係は正しいか**

客観的な事実を使って根拠を深めることができれば、説得力はさらに高まります。しかし、その「事実の記述」には正確さが求められます。

表現系

主な観点は、次の２点です。

① **誤った表現はないか**
② **無駄な表現はないか**

これらが**いずれもできていればA、いずれも不十分であればC、その他の場合はB**とします。詳細は課題Aの解説（p.74・75）を参照してください。

表記系

主な観点は、次の３点です。

① **誤字・脱字、漢字で書くべき語のかな書きはないか**
② **字数は過不足ないか**
③ **原稿用紙の使い方のルールを守っているか**

これらが**いずれもできていればA、2点以上不十分であればC、その他の場合はB**とします。詳細は課題Bの解説（p.85）を参照してください。

以上の基準を踏まえて、p.114 ～ 117 で二人の答案を評価しました。あなたが、p.107・108 で入れたコメントと私のコメントを比較しながら読んでください。

コラム

「お客様は神様」と言うけれど……

ある冬の日。近所のスーパーで買い物を終えて掲示板を見ると、次のような「お客様のご意見」が掲げられていました▶ 12 月 22 日に 5,000 円分のオードブルを予約しました。「子どもが食べられるクリスマス用で」とお願いしましたが、イブの日に持ち帰ってみると、いつも店頭にあるような揚げ物と中華でした。大量の揚げ物は大きすぎて子どもは食べられず、サラダ等も入っていませんでした。とても残念でした。クリスマスらしさも全くありません。フライドポテトもとてもカビ臭かったです。大不満でした▶あなたが店長ならどう答えるでしょうか。何気なく語られている言葉の定義に注目しましょう。▶例えば、「子どもが食べられる」とはどういうことでしょうか。お客さんは料理の量や大きさへの配慮を求めたつもりでも、注文を聞いた店員は「子どもの嗜好への配慮」と受け止めたのかもしれません▶また「クリスマスらしさ」とは何でしょうか。お客さんは「クリスマスだから彩り華やかに」と期待し、サラダも入って当然と考えたようです。しかし、店側は「クリスマスだから豪勢に」と考え、質より量に走ったのかもしれません▶店長は当然、ポテトのカビ臭さについては平身低頭お詫びすべきでしょう。しかし、揚げ物やサラダについては、きちんと確認して意思疎通を図らなかった双方に非があるのではないでしょうか▶「文章表現の本なのに食べ物の話題が多すぎる！」とお叱りを受けそうですが、ふだん何気なく使っている言葉こそ定義が大切であることを、改めて確認していただければ幸いです。

ショウタくんの課題D答案へのコメント

本

パソコン・モバイルそれぞれによるインターネット利用時間を場所別・年代別に示したデータを見てまず驚かされるのは、 ①10代のモバイルによる利用が203.1分と大変多く、全年代のモバイルによる利用123.1分の2倍近くであることです。パソコンとモバイルの利用時間の合計も、236.2分で20代に次ぐ長さとなっています。50代では、モバイルによる利用が94.0分と10代の2分の1以下ですが、パソコンによる利用は68.1分で10代のおよそ2倍となっています。10代にとって、インターネット利用は不可欠です。しかし、その便利さとともに、悪い点もよく考えなければなりません。

一方で60代のインターネット利用時間の少なさも気になります。パソコンとモバイルの利用時間の合計117.9分は全年代中最少で、特にモバイルは71.3分で10代の3分の1程度です。②パソコンやモバイルの操作を習得しようにも、加齢による身体の衰えや記憶力の低下などによって思うようにいかない人が多いのでしょう。しかし、インターネット利用ができるととても便利なことが多いのですから、60代の人々もインターネットで情報収集できるよう、配慮しなければなりません。

無駄の多い記述では？

資料からの直接の読み取りができているが、ポイントがあいまい

それはなぜ？

具体的には？（～～～の部分、以下同）

利用時間が少ない背景について、説得力ある指摘ができている

結

このように、インターネットの利用には年代ごとに大きな違いがあります。しかし、インターネットの利用に慣れた若い世代が、高齢者のためにできることもあるのではないでしょうか。

ショウタくんの答案には、「序論」に相当する部分がありません。いきなり本論に入り、第一段落では 10 代・50 代、第二段落では 60 代におけるインターネット利用時間の読み取りと解釈を試みています。p.111 のアウトラインとは異なっていますが、これも一つのやり方です。**本課題のように字数が限られている状況では、形ばかりの序論に字数を割くぐらいならば、その分、本論を充実させた方がよい**でしょう。

資料をていねいに読み取ろうというショウタくんの姿勢は、よく伝わってきます。しかし、読み取ったことを精選しないまま書き込んでいるのでメリハリがついていません（下線部①）。10 代にとってのインターネットの重要性を述べた第一段落において、「50 代では～パソコンによる利用は 68.1 分で 10 代のおよそ 2 倍となっています」という記述がどのような役割を果たしているのか疑問です。

資料からの直接の読み取りがていねいであることに比べて、読み取ったことの解釈や、その解釈を踏まえた記述については、あいまいな記述が目立ちます（～～～～の部分）。「10 代にとって、インターネットの利用は不可欠」となっているのはなぜしょうか。どのような「便利さ」があり、どのような「悪い点」があるのでしょうか。これらの点が深められなければ、「ネット利用をめぐる社会的な課題」を明らかにすることができません。60 代の人々のインターネット利用時間が少ない背景については、説得力のある指摘をすることができている（下線部②）だけに残念です。結論部で若い世代と高齢者を結び付けようとしているのはよいアイディアです。しかし、「インターネットの利用に慣れた若い世代が、高齢者のためにできること」の具体的なイメージが示されていないので、「対応策」を求める本課題の結論部としては物足りなさが感じられます。

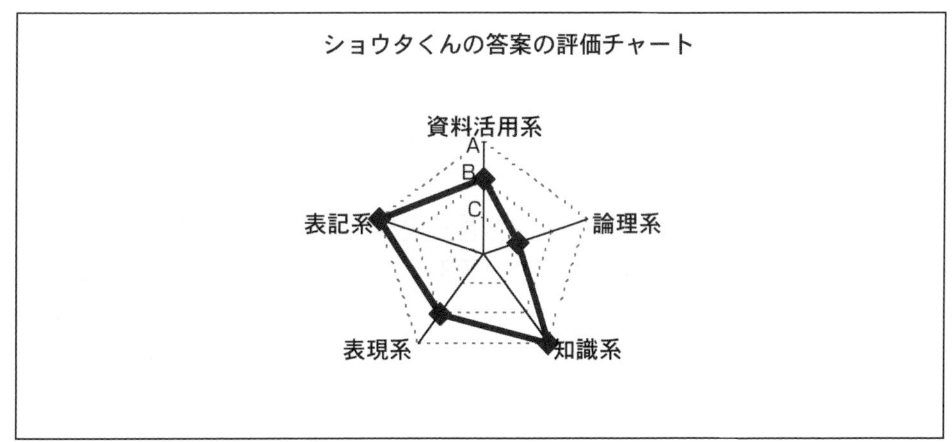

アイさんの課題D答案へのコメント

序

①現在、多くの若者が長時間インターネットを利用しており、特にＳＮＳによる交流や動画サイトの視聴などに多くの時間を割いている。しかし、②「スマホ依存」「ネトゲ依存」といった問題が指摘されているように、心身や社会生活への影響が懸念される。この事態にどう対応していけばよいのだろうか。

資料のどの部分の読み取り？

どのような影響がある？

本

③若者のネット依存の要因として、まず、自制心の欠如が考えられる。発達段階にある未成年者は特に、自分の欲望を抑えることが難しい。子どもに甘い家庭環境であったり、親自身がネットに依存していたりすると、その傾向は、ますます強まる。④しかも、学生時代のインターネット利用の手段はモバイルに偏りがちで、パソコンに習熟する機会がないと就職後に苦労することになる。

⑤また、ネットコンテンツが持つ中毒性も、ネット依存の大きな原因と言える。ＳＮＳで「いいね」が増えることへの快感など、ネットは様々な刺激に満ちあふれている。頭ではよくないとわかってはいながらも、なかなか区切りをつけられない人が少なくない。

ネット依存の要因が端的に述べられている

重要な指摘だが、「自制心の欠如」との関係は？

ネット依存の要因が端的に（下線部③とは異なる角度から）述べられている

結

そこで、対応策として、まず⑥親子間でのネット利用時間に関するルールを確立し、厳守させるべきである。スマホは親の名義で契約し、親が子どもに貸し出すという形をとるのも効果的であろう。そして、⑦特に中毒性の高いオンラインゲームについては、課金の払い過ぎを防ぐためにも禁止を目指していくべきである。

具体的な提案（下線部③に対応）が述べられている

具体的な提案（下線部⑤に対応）が述べられているが、実現可能性は？

アイさんの答案は、**序論**・**本論**・**結論**と構成が**可視化**されています。アイさんはまず、序論（第一段落）で若者のネット利用の実態を端的に示し、心身や社会生活への影響が懸念される事態（「ネット利用をめぐる社会的な課題」に相当）に「どう対応していけばよいのか」という問題提起につなげています。続く**本論**（第二・三段落）では、若者のネット依存の要因が述べられています。若者の内面（第二段落）、若者を取り巻く環境（第三段落）と、各段落が異なる角度から述べられている点にも注目です。**多角的な考察**は説得力を高めます。しかも、アイさんは**段落内の文どうしの関係**にも配慮しています。各段落の冒頭（下線部③・⑤）で、「自制心」「中毒性」というキーワードを用いて段落の概要を端的に述べ、以下の文で具体的な記述を続けています。**抽象⇒具体**の変換によって、メリハリがついているのです。そして、**結論**（第三段落）で、第二・三段落で指摘した要因に合わせた「対応策」が具体的に提案されています（下線部⑥・⑦）。全体的に、かなり説得力のある答案です。

ただし、改善の余地も残っています。下線部①は資料のどこを読み取ったのでしょうか。資料中の具体的な数値が出てこないのでは、「資料を踏まえて」という本課題に十分応えているとは言えません。また、下線部②の「スマホ依存」「ネトゲ依存」についても、心身や社会生活への影響について、もう少し説明がほしいところです。確かにマスコミやネットをにぎわせている言葉ですが、**ムードに流されず、本当にそうなのか疑ってみる**姿勢も大切です。下線部④は重要な指摘ですが、「自制心の欠如」（下線部③）との関係が不明です。論理的に不整合とみなされかねません。下線部⑦のような対応策は、確かに効果的でしょう。しかし、ゲーム内での課金はともかく、オンラインゲームそのものの禁止は現実的でしょうか。理想を掲げることは大切ですが、論文・作文の分野によっては、実現可能性の裏付けに乏しい提案は評価を下げてしまう可能性があります。

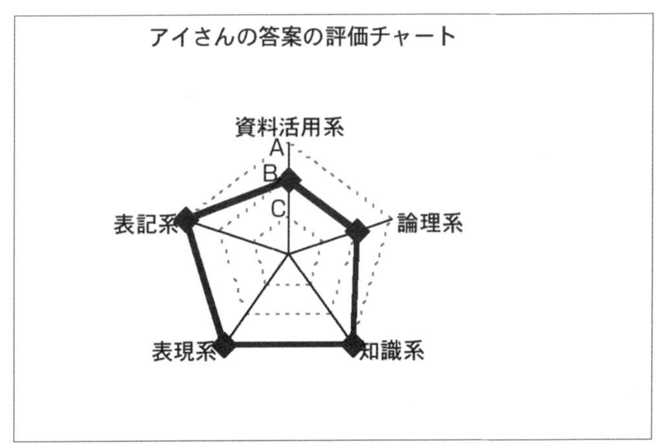

四つの課題を通して、ショウタくんの答案もアイさんの答案も、かなり充実してきました。**お互いの答案を交換して意見を述べ合うと、相互に補完しながらよりいっそう高めあえる**ことでしょう。

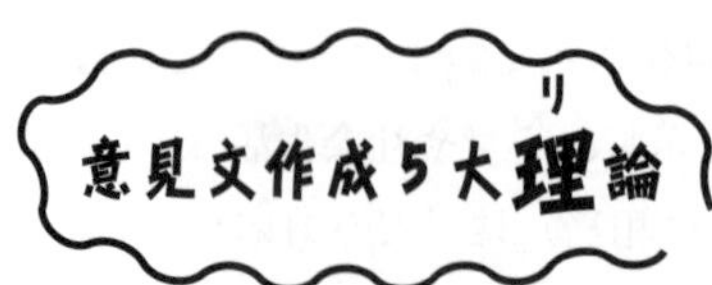

課題Ｂ・Ｃ・Ｄへの挑戦と復習を通して、論文・レポートや入学・就職試験で要求されることの多い意見文のポイントが見えてきたのではないでしょうか。実践編の総まとめとして、「**ジックリ、ハッキリ、シッカリ、ガッチリ、スッキリ**」をキーワードに意見文作成のポイントをまとめておきます。

① 問題や資料をジックリ読むべし

ごくあたり前のことですが、問題をよく読まないで答案を書く人が多く見られます。どんなに立派な文章を書いても、問題が求める内容に沿っていなければ減点されます。問題をジックリ読んで、テーマや論点、その他の条件を必ず確認しましょう。

解答字数の上限が決められている場合、１字でもオーバーしていたら減点、場合によっては失格の可能性もあります。なお、字数制限を守っていても、字数があまりにも少なすぎる場合は、減点の可能性があります。せめて、**字数制限の８～９割は書きましょう。**

文章や図・グラフなどの資料を用いる場合（用いなければならない場合）は、もちろんこれらを**ジックリと読み取り、解釈して活用**しなければなりません。

② 意見をハッキリ主張すべし

意見文は、何よりも**自分自身が最も言いたい意見（主張）が明確**でなければ始まりません。

賛否が問われている場合はとくに、賛成なのか、反対なのかを明記しなければなりません。また、何らかの提案をする場合、「一人ひとりの努力が大切」のような抽象論では説得力がありません。**できるだけ具体的な映像(イメージ)を読み手に持たせましょう。**

③ 根拠をシッカリ深めるべし

意見文の基本セットは、**最も言いたい意見（主張）と、それを支える根拠**です。その根拠を、**自問自答**や**反駁**によって、さらにシッカリと深めることによって説得力が増していきます。

④ 構成をガッチリ立てるべし

構成とは、意味のまとまりを作ること、まとまりどうしのつながりを明らかにすることです。意見文の構成は、特別な場合を除いて**「序論」「本論」「結論」**の三部構成を基本に考えましょう。

構成を視覚的に表したのが、段落分けです。答案を適切に段落分けすることによって、ガッチリと構成されていることが読み手に伝わってくるのです。

⑤ ムダをスッキリ省くべし

意見文で伝えなければならないのは、物事を考察した筋道であって、書き手の心情（「意見」とは別物）や行動ではありません。**思考の筋道と関係のない無駄な記述をスッキリ整理**しましょう。

「〜思う」「〜思います」といった、あいまいな文末表現も、できるだけ避けましょう。

ふだんのレポートに役立つ書籍

木下是雄『レポートの組み立て方』ちくまライブラリー 36、1990 年

今や古典的名著と言える同著者の『理科系の作文技術』（中公新書、1980 年）の文系版。本書で取り上げた「事実の記述」「意見の記述」（第 1 章ほか）は、この本を参考にしています。他にもさまざまな構成の方法など、わかりやすく解説されています。

大島弥生・池田玲子・大場理恵子・加納なおみ・高橋淑郎・岩田夏穂
『ピアで学ぶ大学生の日本語文章表現―プロセス重視のレポート作成―』ひつじ書房、2005 年

テーマのきめ方や調査の方法、口頭発表にいたるまで、はじめてレポートを書く大学生のために、具体的かつ分かりやすく説明されています。本書における自分の答案と答案例との比較を通した学び（第 7 章）は、この本で紹介されているピアコミュニケーション（仲間どうしの意見交換）の考え方に基づいています。

荒木晶子、向後千春、筒井洋一『自己表現力の教室』情報センター出版局、2000 年

大学における日本語表現指導の第一人者たちが、「話し方」「書き方」についてのさまざまなアイデアを提供します。ほとんどが見開き 2 ページ完結の読み物形式で、読みやすい一冊です。本書における「『自問自答』で根拠を深める」（第 4 章）や「『当たり前のこと』をわざわざ述べない」（第 6 章）は、この本を参考にしています。

加藤恭子、ヴァネッサ・ハーディ『英語小論文の書き方』講談社現代新書 1122、1992 年

「英語小論文」を題材にしていますが、パラグラフライティングやトピックセンテンスなど、日本語によるレポートの構成を考える上でも大いに参考になります。

本格的な論文に役立つ書籍

日本図書館協会図書館利用教育委員会
図書館利用教育ハンドブック学校図書館（高等学校）版作業部会
『問いをつくるスパイラル　考えることから探究学習をはじめよう！』
公益社団法人日本図書館協会、2011 年

本書で出題したミニワークや課題はあくまで「出題者から与えられた問い」です。しかし、本格的な論文の出発点は「自分の中から発せられる問い」です。この本では、探究学習のための「問い」づくりのステップが、多数のワークシートを用いて丁寧に説明されています。

小笠原喜康『最新版　大学生のためのレポート・論文術』講談社現代新書 2498、2018 年

ふだんのレポートから卒業論文までを対象として、論理的な文章を書く上での基本的な考え方からスケジュール管理にいたるまで詳しく解説されています。本書では取り上げなかった表記のルールについての解説も充実しています。

戸田山和久『新版　論文の教室』NHK ブックス 1194、2012 年

本書では「根拠を深める」ことの重要性に触れましたが、根拠の妥当性の見極めについてはあまり取り上げることができませんでした。その点、この本では、軽妙な筆致による先生・学生の対話を通して、本格的な論証の解説が展開されています。

二通信子・大島弥生・佐藤紀勢子・因京子・山本富美子
『留学生と日本人学生のためのレポート・論文表現ハンドブック』東京大学出版会、2009 年

論文やレポートにふさわしい文型や接続表現について、本書ではくわしく説明することができませんでした。その点、この本では、幅広い学部・学科の大学生・大学院生を想定して多数の文型・接続表現が整理され、論文やレポートを書くためにはどのような行動をとればよいのか、表現の実例を通して学ぶができるよう工夫がこらされています。

就職活動にも役立つ書籍

野田春美・岡村裕美・米田真理子・辻野あらと・藤本真理子・稲葉小由紀
『グループワークで日本語表現力アップ』ひつじ書房、2016 年

この本では、授業の出席カードや飲食店のメニューなど多様な素材を通じて効果的な文章表現を身につけた上で、アカデミック・ライティングを段階的に学ぶことができます。現代の社会で要求される文章表現力とは何か、様々な立場で働く人々の見解が紹介されていることも大きな特徴です。これらの声を踏まえ、就職活動についての記述も充実しています。

■引用・参考文献一覧

・木下是雄『レポートの組み立て方』ちくまライブラリー 36、1990 年
・佐藤喜久雄監修 『国際化・情報化社会に向けての表現技術②「伝える」「考える」ための演習ノート』創拓社、1994 年
・柳瀬和明『「日本語から考える英語表現」の技術』講談社ブルーバックス B1471、2005 年
・坂井尚『ビジネス文書術』日経ビジネス人文庫、2003 年
・二通信子、佐藤不二子『留学生のための論理的な文章の書き方』スリーエーネットワーク、2000 年
・戸井田克己「論作文試験の対策と"良い論作文"の書き方」(『教員採用試験のための論作文』所収) 大阪教育図書、2005 年
・藤沢晃治『「分かりやすい表現」の技術』講談社ブルーバックス B1245、1999 年
・藤沢晃治『「分かりやすい説明」の技術』講談社ブルーバックス B1387、2002 年
・藤沢晃治『理解する技術』PHP 新書 344、2005 年
・文部科学省「学年別漢字配当表」(『小学校学習指導要領』所収)
・荒木晶子、向後千春、筒井洋一『自己表現力の教室』情報センター出版局、2000 年
・越田年彦『わかりやすく説く　日本経済・戦後と現在』五絃舎、2006 年
・寺田寅彦「読書の今昔」(『東京日日新聞』1932 年 1 月所収)
・『ふくおか歴史散歩』福岡市、1977 年
・武野要子編『カラー版　福岡　アジアに開かれた交易のまちガイド』岩波ジュニア新書 552、2007 年
・「家族で『アナログ』ゲーム」(『読売新聞』2011 年 12 月 22 日朝刊所収)
・「風土計」(『岩手日報』2013 年 10 月 11 日朝刊所収)
・ビデオリサーチオフィシャルウェブサイト (http://www.videor.co.jp/index.htm)
・観光庁『令和 2 年版観光白書』2020 年
・観光庁『令和 3 年版観光白書』2021 年
・大島弥生・池田玲子・大場理恵子・加納なおみ・高橋淑郎・岩田夏穂『ピアで学ぶ大学生の日本語文章表現―プロセス重視のレポート作成―』ひつじ書房、2005 年
・井口文彦「消えた含蓄＜お茶くみ刑事＞」(『産経新聞』2008 年 12 月 28 日朝刊所収)
・小林毅「大阪特派員　包丁職人が流した涙」(『産経新聞』2008 年 12 月 5 日朝刊所収)
・総務省情報通信政策研究所「令和 5 年度情報通信メディアの利用時間と情報行動に関する調査報告書」2024 年
・平川敬介「短文・論述問題、そして小論文に挑戦」(『ニュース解説室へようこそ！ 2021-22 年版』所収) 清水書院、2021 年

著者プロフィール

平川　敬介（ひらかわ・けいすけ）

1967（昭和 42）年、福岡県福岡市生まれ。地歴公民系教材編集・執筆者／小論文講師（フリー）。福岡教育大学中学校教員養成課程（社会科）を卒業後、ベネッセコーポレーション（旧福武書店）勤務を経て 1997（平成 9）年に独立開業。以来、地歴公民科を中心とした教材の編集・執筆・構成に取り組む一方、高等学校や大学などで小論文入試や日本語文章表現、通訳案内士試験（邦文問題）などに関する講演・講義を行ってきた。現在、福岡市在住。近年は、北東北の高等学校や福岡市内の団体などと、オンラインでの講演・講義にも取り組んでいる。

600 字で書く　文章表現法

著　者　平　川　敬　介

発行者　横　山　哲　彌

印刷所　岩岡印刷株式会社

発行所　大阪教育図書株式会社

〒 530-0055　大阪市北区野崎町 1-25
電話　06（6361）5936㈹　FAX　06（6361）5819　振替 00940-1-115500
E-mail = info@osaka-kyoiku-tosho.net　http://www2.osk.3web.ne.jp/~daikyopb

落丁・乱丁本は小社でお取り替えいたします。ISBN978-4-271-53145-6 C3337